Imre Kertész
LOS UTRACONY

Przełożyła
Krystyna Pisarska

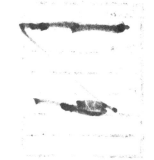

wydawnictwo

Wydano z pomocą finansową:

OSI-Zug Foundation,
OSI Center for Publishing Development
i Fundacji im. Stefana Batorego,
w ramach „Central European University
East Translates East Project",

CEU

Fordítástámogatási Alap és Információs Iroda
Magyar Könyv Alapítvány.

Wydawnictwo dziękuje Węgierskiemu Instytutowi Kultury
za pomoc w promocji książki.

MAGYAR WĘGIERSKI
KULTURÁLIS INSTYTUT
INTÉZET KULTURY

Wydanie I
Warszawa 2003

1

Nie poszedłem dzisiaj do szkoły. To znaczy poszedłem, ale tylko po to, żeby się zwolnić u wychowawcy. Oddałem mu list, w którym ojciec, powołując się na „przyczyny rodzinne", prosi o zwolnienie mnie do domu. Zapytał: cóż to za przyczyny? Odparłem, że ojca powołali do służby pracy*; wtedy już się więcej nie czepiał.

Pospieszyłem nie do domu, lecz do naszego sklepu. Ojciec powiedział, że tam będą na mnie czekać. Dodał jeszcze, żebym się zwijał, bo mogę być potrzebny. Właśnie dlatego zwolnił mnie z lekcji. Lub też, by „mieć mnie przy sobie tego ostatniego dnia, zanim opuści dom", bo i to powiedział, choć prawda, że kiedy indziej. Do matki, gdy, jak sobie przypominam, rankiem do niej zadzwonił. Jest mianowicie czwartek,

---

*Faszystowskie formacje, do których wcielano ofiary prześladowań politycznych, a więc komunistów, Żydów i członków mniejszości narodowych. Wysyłani bez broni na front, wykonywali najniebezpieczniejsze zadania, jak na przykład rozminowywanie (wszystkie przypisy pochodzą od tłumaczki).

a w czwartki i niedziele spędzam popołudnia z matką, co jest skrupulatnie przestrzegane. Ale ojciec poinformował ją: – Nie mogę dziś przysłać ci Gyurki – i właśnie wtedy tak jej to wytłumaczył. Chociaż możliwe, że jednak nie wtedy. Byłem dziś rano trochę śpiący, bo w nocy mieliśmy alarm lotniczy, i mogło mi się coś pokręcić. Jestem pewien natomiast, że tak powiedział. Jeśli nie do matki, to do kogoś innego.

Ja też zamieniłem z matką kilka słów, już nie pamiętam o czym. Wydaje mi się, że miała do mnie żal, bo musiałem ją nieco za szybko spławić ze względu na obecność ojca; w końcu to dla niego powinienem być dziś miły. Kiedy już wychodziłem z domu, moja macocha w korytarzu, w cztery oczy, szepnęła mi kilka poufnych słów. Ma nadzieję, rzekła, że w tym tak smutnym dla nas dniu „może liczyć na moje odpowiednie zachowanie". Nie wiedziałem, jak można na to zareagować, więc nic nie powiedziałem. Ale widocznie źle zrozumiała moje milczenie, gdyż zaraz dodała coś w tym rodzaju, że nie miała zamiaru odwoływać się tą uwagą do mojej wrażliwości, ona wie, że to niepotrzebne. Bo przecież nie wątpi, że jako dorastający chłopak, w piętnastym roku życia, sam potrafię odczuć wagę ciosu, który nas spotyka, jak to sformułowała. Pokiwałem głową. To jej wystarczyło. Wykonała też ręką jakiś gest w moją stronę i już się zląkłem, że zechce mnie objąć. Ale jednak tego nie zrobiła, tylko westchnęła głęboko, z drżeniem.

Spostrzegłem, że wilgotnieją jej oczy. To było nieprzyjemne. Potem mogłem już iść.

Drogę ze szkoły do sklepu pokonałem piechotą. Był czysty, ciepły poranek, choć mieliśmy dopiero początek wiosny. Chciałem rozpiąć płaszcz, ale się rozmyśliłem: w lekkim wietrze z przeciwnej strony mogłaby mi się odwinąć poła i zasłonić żółtą gwiazdę, a to byłoby niezgodne z przepisami. W niektórych sprawach muszę się już zachowywać ostrożniej. Piwnica, w której mieści się nasz skład drewna, znajduje się w pobliżu, w bocznej ulicy. W mrok prowadzą strome schody. Ojca i macochę zastałem w kantorze: ciasnej, oświetlonej jak akwarium szklanej klatce u podnóża schodów. Był też z nimi pan Sütő, którego znam stąd, że kiedyś zatrudnialiśmy go jako buchaltera; pod innym, wolnym niebem był pracownikiem naszego sklepu, który później od nas kupił. Przynajmniej tak mówimy. Pan Sütő mianowicie jest całkiem w porządku pod względem rasowym, nie nosi żółtej gwiazdy, i to wszystko, jak wiem, to tylko taki fortel handlowy, żeby ustrzec nasz dobytek, no i żebyśmy nie musieli w ogóle rezygnować z dochodu.

Jednak przywitałem się z nim trochę inaczej niż dawniej, bo w pewnym sensie znalazł się wyżej od nas; rodzice też są teraz ostrożniejsi wobec niego. On za to tym bardziej się upiera, żeby w dalszym ciągu nazywać ojca „panem szefem", a macochę „drogą szanowną panią", jakby nic się nie wydarzyło, nigdy też nie zapomina pocałować jej w rękę. Mnie powitał dawnym, żartobliwym tonem. Nawet nie spojrzał na moją żółtą gwiazdę. Zostałem tam, gdzie byłem, przy drzwiach, a oni kontynuowali to, co przerwało moje przyjście. Miałem wrażenie, że musiałem przerwać jakąś naradę. W pierwszej chwili nie rozumiałem, o czym rozmawiają. Na moment przymknąłem nawet powieki, bo mieniło mi się w oczach od słonecznego blasku ulicy. Wtedy ojciec powiedział coś, na co je otworzyłem: „szanowny panie Sütő". Po jego okrągłej twarzy o śniadej cerze – z cienkim wąsikiem i szparą między dwoma przednimi, białymi, szerokimi zębami – niczym pękające wrzody skakały żółto-czerwone kółka. Następne zdanie wypowiedział także ojciec i była w nim mowa o jakimś „towarze" i o tym, że „byłoby najlepiej", gdyby pan Sütő „od razu go ze sobą zabrał". Pan Sütő nie miał nic przeciwko temu, więc ojciec wyjął z szuflady biurka paczuszkę owiniętą w bibułę i przewiązaną sznurkiem. Dopiero wtedy pojąłem, o jakim towarze właściwie mowa, ponieważ poznałem paczkę po jej płaskim kształcie: była w niej szkatułka. A w szkatułce nasza cenniejsza biżuteria i tym podobne. Co więcej, wydaje mi się, że z mojego powodu nazywali ją „towarem", żebym się nie połapał. Pan Sütő natychmiast schował pakiecik do teczki. Potem wywiązała się między nimi sprzeczka: pan Sütő wyjął wieczne pióro i za wszelką cenę chciał ojcu dać „pokwitowanie" na „towar". Długo się upierał, choć ojciec mówił mu, żeby nie był „dziecinny" i że „między nami to niepotrzebne". Zauważyłem, że panu Sütő sprawiło to przyjemność. Nawet powiedział: - Wiem, że pan mi ufa, panie szefie, ale w praktycznym życiu wszystko musi mieć swój porządek i formę. - Wezwał też na pomoc moją macochę: - Nieprawdaż, szanowna pani? - Ale ona ze zmęczonym uśmiechem na ustach powiedziała tylko coś w tym rodzaju, że jeśli chodzi o właściwe załatwienie tej sprawy, to zdaje się całkowicie na mężczyzn.

Zaczynało mnie to wszystko już trochę nudzić, ale wreszcie schował wieczne pióro i zaczęli się głowić nad sprawą naszego sklepu: co zrobić z tymi wszystkimi deskami, które się w nim znajdują. Usłyszałem, że według ojca należało się spieszyć, zanim władza „ewentualnie położy na tym rękę", poprosił więc pana Sütő, żeby pomagał macosze swoim doświadczeniem handlowym i wiedzą. Pan Sütő, zwracając się do macochy, natychmiast oświadczył: - To przecież zrozumiałe, szanowna pani. Przecież i tak będziemy w stałym kontakcie z powodu rozliczeń. - Wydaje mi się, że mówił o naszym składzie, który był teraz jego własnością. Po dłuższym czasie zaczął się wreszcie żegnać. Przeciągle, z zachmurzoną twarzą potrząsał ręką mojego ojca. Widocznie uważał, że w takiej chwili nie ma miejsca na zbędne słowa, i dlatego na pożegnanie powiedział tylko: - Do jak najszybszego zobaczenia, panie szefie. - Ojciec z krzywym uśmieszkiem odparł: - Miejmy

nadzieję, że tak będzie, panie Sütő. – Jednocześnie macocha otworzyła torebkę, wyjęła z niej chusteczkę i od razu podniosła ją do oczu. W jej gardle bulgotały osobliwe dźwięki. Zapadła cisza, sytuacja stała się bardzo nieprzyjemna, bo odniosłem wrażenie, że i ja powinienem coś zrobić. Ale to było tak niespodziewane, że nic mądrego nie przychodziło mi do głowy. Zauważyłem, że i pan Sütő czuje się skrępowany:
– Ależ szanowna pani – powiedział – nie wolno. Naprawdę nie. – Wyglądał na nieco przestraszonego. Pochylił się i niemal przypadł ustami do dłoni macochy, żeby wycisnąć na niej zwyczajowy pocałunek. Potem natychmiast popędził ku drzwiom; ledwie zdążyłem przed nim uskoczyć. Ze mną zapomniał się pożegnać. Kiedy wyszedł, słyszeliśmy jeszcze przez pewien czas jego ciężkie kroki na drewnianych schodach.

Po chwili milczenia ojciec powiedział: – No więc o tyle staliśmy się lżejsi. – Na co macocha nieco stłumionym głosem zapytała, czy ojciec nie powinien był jednak przyjąć od pana Sütő owego pokwitowania. Ale ojciec odparł, że takie pokwitowanie nie miałoby żadnej „praktycznej wartości", a ponadto przechowywanie go byłoby niebezpieczniejsze niż trzymanie w domu samej szkatułki. I wytłumaczył jej: teraz wszystko „musimy postawić na jedną kartę", mianowicie na tę, że w pełni ufamy panu Sütő, tym bardziej że i tak nie mamy innego wyjścia. Na to macocha umilkła, ale później zauważyła, że choć ojciec pewnie ma rację, ona jednak czułaby się jakoś pewniej „z pokwitowaniem w ręku". Ale nie była w stanie jasno wytłumaczyć dlaczego. Wtedy ojciec przynaglił, żeby się już brać do roboty, albowiem, jak powiedział, czas leci. Chciał jej przekazać książki handlowe, żeby i bez niego mogła się w nich połapać i żeby interes nie stanął, kiedy on będzie w obozie pracy. Jednocześnie zamienił i ze mną kilka szybkich słów. Wypytywał, czy gładko puścili mnie ze szkoły i tak dalej. Wreszcie powiedział, żebym usiadł i zachowywał się cicho, dopóki oni z macochą nie skończą z książkami.

Tyle że to długo trwało. Przez pewien czas próbowałem być cierpliwy, starałem się myśleć o ojcu, zwłaszcza o tym, że jutro wyjedzie i zapewne nieprędko go zobaczę, ale po jakimś czasie znużyły mnie te myśli i wtedy, ponieważ nic innego nie mogłem dla ojca zrobić, zacząłem się nudzić. Siedzenie też mnie bardzo męczyło i tylko po to, żeby się coś działo, wstałem i napiłem się wody z kranu. Nic nie powiedzieli. Później poszedłem między deski za małą potrzebą. Kiedy wróciłem, umyłem ręce nad koślawą, pordzewiałą umywalką, potem wyjąłem z teczki i zjadłem drugie śniadanie i na końcu znów popiłem wodą z kranu. Nic nie mówili. Wróciłem na swoje miejsce. Dalej straszliwie się nudziłem, jeszcze bardzo długo.

Było już południe, kiedy wyszliśmy na ulicę. Znów mieniło mi się w oczach, teraz drażniło mnie światło.

Ojciec długo zmagał się z dwiema szarymi żelaznymi kłódkami, miałem wrażenie, że robi to umyślnie. Potem oddał klucze macosze, ponieważ jemu nie będą już więcej potrzebne. Wiem, bo tak powiedział. Macocha otworzyła torebkę, bałem się, że znów po chusteczkę, ale tylko wrzuciła do środka klucze. Bardzo pospiesznie ruszyliśmy w drogę. Z początku myślałem, że do domu, ale nie, najpierw wybieraliśmy się jeszcze na zakupy. Macocha zrobiła długą listę rzeczy, które mogą się ojcu przydać w obozie. Część zdobyła już wczoraj. A za resztą musieliśmy pochodzić teraz. Trochę nieprzyjemnie było z nimi iść, tak w trójkę i na wszystkich trojgu żółte gwiazdy. Kiedy jestem sam, sprawa mnie raczej bawi. A razem z nimi niemal krępuje. Później jednak nie zważałem już na to. We wszystkich sklepach panował ścisk, poza tym, w którym kupowaliśmy plecak: tu my byliśmy jedynymi klientami. W powietrzu wisiał kręcący w nosie zapach impregnowanego płótna. Sklepikarz, pożółkły mały staruszek, z błyszczącą sztuczną szczęką i zarękawkiem na jednej ręce, oraz jego gruba żona byli dla nas bardzo uprzejmi. Spiętrzyli przed nami na ladzie różne artykuły. Zauważyłem, że sklepikarz zwraca się do żony „synku" i zawsze ją posyła po towar. Nawiasem mówiąc, znam ten sklep, bo znajduje się nieopodal naszego domu, ale w środku jeszcze nie byłem. To właściwie coś w rodzaju sklepu sportowego, choć sprzedają tu także inne rzeczy. Ostatnio można też u nich dostać żółte gwiazdy własnej produkcji, bo teraz, rzecz jasna, brak żółtych materiałów. (Dla nas macocha postarała się o nie zawczasu.) Jeśli dobrze widzę, ich wynalazek polega na tym, że materiał naciągnięty jest na karton, więc gwiazdy wyglądają oczywiście ładniej, a ich ramiona nie są tak zabawnie przerysowane, jak w niektórych domowych wyrobach. Zauważyłem, że także ich pierś zdobi własny towar. I to było tak, jakby nosili je tylko po to, żeby wzbudzić na nie chęć w klientach.

Ale już zjawiła się staruszka z towarem. Jeszcze przedtem sklepikarz zainteresował się: wolno spytać, czy kupujemy ekwipunek do służby pracy? Macocha powiedziała, że tak. Stary ze smutkiem pokiwał głową. Uniósł dwie starcze, poznaczone wątrobianymi plamami dłonie i litościwym ruchem opuścił je z powrotem na ladę. Wtedy macocha oświadczyła, że potrzebny nam plecak, i zapytała, czy są. Stary zawahał się, a potem powiedział: – Dla państwa się znajdzie. – A do żony rzekł: – Synku, przynieś panu z magazynu! – Plecak od razu okazał się dobry. Ale sklepikarz posłał żonę po jeszcze parę innych przedmiotów, bez których, jak sądził, ojciec „nie będzie mógł się obejść tam, dokąd się udaje". Na ogół zwracał się do nas bardzo delikatnie i współczująco i jeśli to było możliwe, unikał wyrażenia „służba pracy". Pokazywał same pożyteczne rzeczy, hermetyczną menażkę, scyzoryk z licznymi narzędziami w futerale, torbę na ramię i inne, których, jak wspomniał, zwykli u niego szukać ludzie „w podobnej sytuacji". Macocha kupiła ojcu jeszcze scyzoryk. Też mi się podobał. Potem, kiedy już wszystko zdobyliśmy, sklepikarz zawołał do żony: „Kasa!", na co staruszka z trudem wepchnęła miękkie ciało odziane w czarną suknię między kasę a wyściełany fotel. Sklepikarz odprowadził nas aż do drzwi. Tam powiedział, że „poleca się na przyszłość", a potem, pochylając się poufale do ojca, dodał jeszcze cicho: – Taką, jak my ją widzimy: pan i ja.

Teraz już naprawdę zmierzaliśmy do domu. Mieszkamy w dużej kamienicy czynszowej w pobliżu placu, gdzie znajduje się przystanek tramwajowy. Byliśmy już na piętrze, kiedy macosze się przypomniało: nie wykupiła chleba na kartki. Byłem zmuszony zawrócić do piekarza. Po krótkim staniu w kolejce wszedłem do sklepu. Najpierw musiałem podejść do jasnowłosej, piersiastej piekarzowej: to ona kroiła chleb na odpowiednie kostki, a potem do jej męża, który je ważył. Nawet nie odpowiedział na moje powitanie, gdyż powszechnie wiadomo w okolicy, że nie lubi Żydów. Dlatego też pchnął ku mnie o parę deka mniejszy kawałek. Słyszałem, że w ten sposób zostaje mu spora nadwyżka tego kartkowego chleba. I jakoś z jego gniewnego spojrzenia i zręcznego ruchu pojąłem nagle jego rację, która powodowała, że nawet nie mógł lubić Żydów: gdyby lubił, musiałoby mu być nieprzyjemnie, że ich oszukuje. Tak natomiast postępuje zgodnie ze swoimi przekonaniami, jego działaniem kieruje pewna idea, a to już, rozumiałem, jest coś całkiem innego.

Spieszyłem się od piekarza do domu, ponieważ byłem już bardzo głodny, i właśnie dlatego tylko na słówko byłem skłonny przystanąć z Annąmarią: kiedy wchodziłem na górę, ona właśnie zeskakiwała ze stopni. Mieszka na naszym piętrze u Steinerów, z którymi zwykliśmy się spotykać u starych Fleischmannów, ostatnio co wieczór. Dawniej nie bardzo zwracaliśmy uwagę na sąsiadów, teraz jednak okazało się, że jesteśmy z tego samego gatunku, a to wymaga cowieczornej wymiany poglądów na temat wspólnych perspektyw. My dwoje tymczasem rozmawialiśmy o czym innym i w ten sposób dowiedziałem się, że Steinerowie są właściwie tylko jej wujostwem: rodzice się rozwodzą, a ponieważ nie zdołali dotychczas dojść do porozumienia, z kim ona powinna zostać, postanowili, żeby raczej była tu, gdzie żadnego z nich nie ma. Przedtem mieszkała w internacie, z tych samych powodów, dla których i ja byłem w bursie. Ona też ma czternaście lat, mniej więcej. I długą szyję. Pod żółtą gwiazdą zaczyna się już zaokrąglać. Tak samo posłali ją do piekarza. Chciała się też dowiedzieć, czy nie miałbym po południu ochoty na małego remika w czwórkę, z nią i z dwiema siostrami. Mieszkają piętro wyżej od nas. Annamaria przyjaźni się z nimi, ale ja znam je tylko z widzenia, z galeryjki i piwnicy, w której mieści się schron przeciwlotniczy. Mniejsza wygląda najwyżej na jedenaście, dwanaście lat. Większa, jak wiem od Anny-marii, jest w jej wieku. Czasami, kiedy jestem w pokoju od podwórza, widuję ją na galeryjce, wychodzącą lub wracającą do domu. Parę razy spotkałem się z nią w bramie. Pomyślałem, że teraz mógłbym poznać ją bliżej: miałem na to ochotę. Ale w tej samej chwili przypomniałem sobie o ojcu i powiedziałem dziew-czynie: – Dziś nie, bo powołali mojego ojca. – Wtedy ona też sobie zaraz przypomniała, że słyszała już w domu od wujka o moim ojcu. I zgodziła się: – Jasne. – Trochę milczeliśmy. Potem zapytała: – A jutro? – Ale ja powiedziałem: – Raczej pojutrze. – I zaraz dodałem: – Może.

Kiedy przyszedłem do domu, ojca i macochę za-stałem już przy stole. Biorąc mój talerz, macocha zapytała, czy jestem głodny. Powiedziałem: – Okrop-nie – nie myśląc o niczym innym, bo tak się rzecz miała naprawdę. Naładowała mi więc na talerz, ale na swój prawie nic nie wzięła. Nawet nie ja to zauważyłem, tylko ojciec i zapytał dlaczego. Odpowiedziała jakoś tak, że w tej chwili jej żołądek nie byłby zdolny przyjąć jakiejkolwiek strawy, i wtedy już zrozumiałem mój błąd. Prawda, ojciec zganił jej postępowanie. Argumen-tował, że nie może się poddawać właśnie teraz, kiedy najbardziej potrzeba jej siły i wytrwałości. Macocha nie odpowiedziała, ale coś usłyszałem i kiedy pod-niosłem wzrok, zobaczyłem: płakała. Znów było bar-dzo nieprzyjemnie, starałem się patrzeć tylko w talerz.

Jednak dostrzegłem gest ojca: sięgał po jej dłoń. Po minucie usłyszałem, że znów siedzą w wielkiej ciszy, i kiedy ostrożnie na nich zerknąłem, trzymali się za ręce i patrzyli na siebie jak kobieta i mężczyzna. Nigdy tego nie lubiłem, teraz też czułem się skrępowany. Choć w zasadzie to przecież normalna rzecz, jak mi się wydaje. A jednak tego nie lubię. Nie wiem dlaczego. Zaraz zrobiło się lżej, kiedy znów zaczęli rozmawiać. Znów była mowa o panu Sütő i oczywiście o szkatułce i naszym drugim składzie; słyszałem, jak ojciec ją uspokajał; zauważył, że przynajmniej to „jest w dobrych rękach". Macocha dzieliła z nim te nadzieje, choć znowu przelotnie wspomniała o „gwarancji", mówiąc, że opiera się ona wyłącznie na zaufaniu i że to jeszcze pytanie, czy coś takiego wystarczy. Ojciec wzruszył ramionami i odparł, że nie tylko w handlu, ale też „innych dziedzinach życia" niczego nie da się już zagwarantować. Macocha westchnęła rozdzierająco i natychmiast się z nim zgodziła: już było jej przykro, że wspomniała o sprawie, i poprosiła ojca, żeby tak nie mówił i nawet nie myślał. A on wtedy zaczął się zastanawiać, jak macocha zdoła w tak ciężkich czasach sama, bez niego, uporać się z tymi wszystkimi kłopotami, które na nią spadną, ale macocha odpowiedziała, że nie będzie sama, bo przecież ja przy niej zostaję. My dwoje, ciągnęła, będziemy o siebie dbali, póki ojciec do nas nie wróci. I spytała, zwracając ku mnie przechyloną głowę: - Czy tak będzie? -

Uśmiechała się, ale drżały jej przy tym wargi. Powiedziałem jej: – Tak. – Ojciec też na mnie patrzył, miał łagodny wzrok. Jakoś znów mnie napadło, żeby coś dla niego zrobić, i odsunąłem talerz. Zauważył i zapytał, dlaczego to zrobiłem. Odparłem: – Nie mam apetytu. – Spostrzegłem, że sprawiło mu to przyjemność: pogładził mnie po głowie. I od tego dotknięcia po raz pierwszy tego dnia coś mnie ścisnęło za gardło, ale nie płacz, tylko jakieś mdłości. Zapragnąłem, żeby ojca już tu nie było. To było bardzo złe uczucie, ale tak wyraźne, że nie mogłem myśleć o niczym innym i aż się speszyłem w tej chwili. Zaraz potem mógłbym się rozpłakać. Nie było na to czasu, bo przyszli goście.

Macocha wspomniała o nich już przedtem; przyjdzie tylko najbliższa rodzina, tak powiedziała. I na jakiś gest ojca dodała: – Ale przecież oni chcą się z tobą pożegnać. To chyba oczywiste! – I już odezwał się dzwonek: przyszła siostra macochy i jej mama. Wkrótce zjawili się też rodzice ojca, dziadek i babcia. Babcię pospiesznie posadzono na kanapie, bo z nią jest tak, że ledwie widzi nawet przez grube szkła i przynajmniej w tym samym stopniu jest głucha. Ale jednak chce być pożyteczna i uczestniczyć we wszystkim, co się wokół niej dzieje. Niekiedy jest z nią mnóstwo roboty, bo trzeba jej krzyczeć do ucha, o czym mowa, a jednocześnie nie dopuścić, żeby się wtrącała, bo mogłaby tylko narobić zamieszania.

Mama mojej macochy zjawiła się w wojowniczym kapeluszu w kształcie stożka z rondem, z przodu miał poprzecznie zatknięte piórko. Szybko go jednak zdjęła i wtedy ukazały się piękne, rzadkie, siwe włosy, upięte w wątły koczek z cienkiego warkoczyka. Ma wąską, żółtawą twarz, wielkie, ciemne oczy, z szyi zwisają jej dwa zwiędłe płaty skóry: przypomina bardzo mądrego, delikatnego psa myśliwskiego. Zawsze trochę się jej trzęsie głowa. Miała spakować plecak mojego ojca, bo ona to doskonale potrafi. Zaraz też zabrała się do rzeczy, według listy, którą wręczyła jej macocha.

Siostry macochy natomiast do niczego nie dało się wykorzystać. Jest znacznie starsza od macochy, inaczej też wygląda, jakby nie były siostrami: mała, pulchna i ma twarz jak zdziwiona kukiełka. Cały czas gadała, a także płakała i obejmowała wszystkich. Ja też z trudem zdołałem się oderwać od jej miękkiej, pachnącej pudrem piersi. Kiedy usiadła, całe jej ciało zwaliło się na krótkie uda. No i jeszcze dziadek: stał przy kanapie babki i z cierpliwą, nieruchomą twarzą wysłuchiwał jej utyskiwań. Najpierw popłakiwała z powodu ojca, jednak po pewnym czasie zapomniała o nim i przeszła do własnych kłopotów. Narzekała na bóle głowy, skarżyła się, że z powodu ciśnienia szumi i huczy jej w uszach. Dziadek już do tego przywykł, nawet nie reagował. Ale nie ruszył się od niej do końca. Nie słyszałem, żeby się odzywał, ale wciąż tkwił w tym samym kącie, który zasnuwał się mrokiem, w miarę jak upływało popołudnie: już tylko na jego łysą skroń i krzywiznę nosa padało jakieś żółtawe, matowe światło, podczas gdy policzki i dolna część twarzy pogrążyły się w ciemności. I tylko po lśnieniu jego małych oczu widać było, że śledzi wszystko, co się dzieje w pokoju.

Przyszła jeszcze kuzynka macochy z mężem. Nazywam go wujkiem Vili, bo tak ma na imię. Ma jakąś niewielką ułomność, dlatego nosi jeden but na grubszej podeszwie i temu zawdzięcza przywilej, że nie musi jechać do obozu pracy. Ma głowę w kształcie gruszki, u góry szeroką, wypukłą i łysą, zwężającą się wzdłuż policzków aż do brody. W rodzinie liczą się z jego zdaniem, bo zanim otworzył kantor totalizatora wyścigów konnych, parał się dziennikarstwem. Także i teraz zapragnął podzielić się ciekawymi informacjami, które uzyskał z „zaufanego źródła" i nazywał „absolutnie wiarygodnymi". Usiadł w fotelu, wyciągając sztywno kaleką nogę i zacierając dłonie z suchym szelestem, poinformował nas, że wkrótce „w naszej sytuacji nastąpi radykalna odmiana", jako że w tej sprawie rozpoczęły się „tajne rokowania między Niemcami a sprzymierzonymi mocarstwami za pośrednictwem neutralnego państwa". Niemcy mianowicie, jak wyjaśnił wujek Vili, „sami już widzą swoją beznadziejną sytuację na froncie". Był zdania, że my, „budapeszteńscy Żydzi", spadliśmy im jak z nieba, bo teraz będą mogli „wydębić za nas, ile się da, od aliantów", a ci, rzecz jasna, zrobią dla nas wszystko, co możliwe; i tu wspomniał o jego zdaniem „ważnym czynniku", który znał jeszcze z dziennikarskich czasów i który nazywał „światową opinią publiczną"; powiedział, że tą ostatnią wstrząsnęło to, co się z nami dzieje. Targują się zażarcie, ciągnął, i tym właśnie można tłumaczyć chwilowy ciężar zarządzeń skierowanych przeciwko nam, ale przecież są one tylko naturalnym skutkiem „wielkiej gry, w której jesteśmy właściwie tylko narzędziem w międzynarodowym, zakrojonym na zdumiewającą skalę manewrze szantażu"; powiedział jednak, że on, który doskonale wie, co jednocześnie „dzieje się za kulisami", uważa to wszystko przede wszystkim za „efektowny blef" dla wytargowania wyższej ceny i prosi nas jedynie o trochę cierpliwości, zanim dojdzie do „rozwoju wydarzeń". Na co ojciec zapytał go, czy można się tego spodziewać już jutro i czy ma uznać swoje powołanie jedynie za „blef", a może w ogóle ma nie jechać do obozu. Wtedy się trochę zmieszał. Odparł: - No nie, jasne, że nie. - Natomiast jest całkiem spokojny o to, że ojciec wkrótce znów będzie w domu. - Jest za pięć dwunasta - rzekł, wciąż zacierając ręce. I jeszcze dodał: - Gdybym kiedykolwiek był tak pewny, typując konia, nie klepałbym teraz biedy! - Chciał kontynuować, ale macocha ze swoją mamą właśnie skończyły z plecakiem i ojciec wstał, żeby wypróbować jego ciężar.

Jako ostatni zjawił się najstarszy brat macochy, wujek Lajos. Odgrywa on bardzo ważną rolę w naszej rodzinie, choć nie potrafiłbym całkiem dokładnie określić, jaką. Naraz zapragnął porozmawiać z ojcem w cztery oczy. Zauważyłem, że ojca to denerwuje i choć bardzo taktownie, stara się jednak szybko go spławić. Wtedy niespodziewanie przyczepił się do mnie. Powiedział, że „chciałby ze mną trochę porozmawiać". Zaciągnął mnie do pustego kąta i postawił przy szafie naprzeciw siebie. Zaczął od tego, że jak wiem, ojciec jutro „nas opuszcza". Powiedziałem, że wiem. Wtedy chciał się dowiedzieć, czy będzie mi go brakowało. Odparłem, choć trochę rozdrażniło mnie jego pytanie: – Jasne. – A ponieważ uznałem, że to za mało, dodałem natychmiast: – Bardzo. – Na co z bolesną miną kiwał tylko przez chwilę głową.

Potem za to dowiedziałem się od niego kilku ciekawych i zaskakujących rzeczy. Na przykład tego, że pewien okres mojego życia, który nazwał „beztroskim, szczęśliwym dzieciństwem", właśnie się dla mnie kończy dzisiejszego smutnego dnia. Na pewno, powiedział, w ten sposób jeszcze o tym nie myślałem. Przyznałem: – Nie. – Ale na pewno, ciągnął, jego słowa nie stanowią też dla mnie szczególnego zaskoczenia. Znów powiedziałem: – Nie. – Wtedy poinformował mnie, że z wyjazdem ojca macocha zostaje bez oparcia i choć rodzina „będzie się nami opiekowała", to jednak główną podporą macochy będę odtąd ja. Z pewnością, rzekł, zbyt wcześnie będę musiał się dowiedzieć, „co to są kłopoty i wyrzeczenia". Bo przecież oczywiste, że nie będzie mi się już tak dobrze działo jak dotychczas, i on nie chce tego ukrywać, gdyż rozmawia ze mną „jak z dorosłym". - Teraz już - powiedział - ty też masz swój udział w żydowskim losie - potem omówił to szerzej, wspominając, że ten los „to niekończące się od tysięcy lat prześladowania", które jednak Żydzi „muszą przyjmować z rezygnacją i pokorą", ponieważ zesłał je na nich Bóg za ich dawne grzechy i tylko od Niego mogą oczekiwać łaski; On natomiast spodziewa się po nas, że w tej trudnej sytuacji wszyscy się sprawdzimy „podług naszych sił i możliwości", w tym miejscu, które On nam wyznaczył. Ja na przykład, dowiedziałem się od niego, muszę w przyszłości sprawdzić się w roli głowy rodziny. I zainteresował się, czy mam na to dość sił i przygotowania. Choć niezbyt dokładnie zrozumiałem tok jego rozumowania, zwłaszcza to, co mówił o Żydach, o ich grzechu i Bogu, te słowa jednak mnie poruszyły. Odparłem więc: - Tak. - Wydawał się zadowolony. - W porządku - rzekł. Zawsze wiedział, że jestem rozumnym chłopcem, „uczuciowym i mającym poważne poczucie odpowiedzialności", a to wśród licznych ciosów stanowi dla niego pewną pociechę, jak wynikało z jego słów. I teraz palcami, które od wierzchu porastają kępki włosów, a od spodu pokrywa lekka wilgoć, wziął mnie pod brodę, podniósł moją twarz i cichym, lekko drżącym głosem rzekł: - Twój ojciec szykuje się w wielką drogę. Modliłeś się za niego? - Była w jego spojrzeniu dziwna surowość i może to ona

23

właśnie zbudziła we mnie dręczące uczucie jakiegoś zaniedbania wobec ojca, bo sam z siebie na pewno bym o tym nie pomyślał. Teraz natomiast, kiedy je we mnie obudził, wydało mi się nagle ciężarem, niby jakiś dług, i żeby się od niego uwolnić, wyznałem mu: - Nie. - Chodź ze mną - powiedział.

Musiałem z nim iść do pokoju od podwórza. Tu modliliśmy się wśród kilku zniszczonych, nieużywanych mebli. Najpierw wujek Lajos włożył małą, okrągłą, jedwabiście lśniącą czapkę na to miejce z tyłu głowy, gdzie jego rzedniejące, siwe włosy tworzą niewielką łysinę. Wtedy z wewnętrznej kieszeni marynarki wyciągnął małą książeczkę w czarnej oprawie z czerwonymi brzegami, a z zewnętrznej kieszeni okulary. Potem zaczął odczytywać modlitwę, ja zaś musiałem za nim powtarzać ten kawałek tekstu, o który mnie wyprzedzał. Z początku szło mi dobrze, wkrótce jednak zaczęła mnie męczyć ta praca i w pewnym sensie przeszkadzało mi, że nie rozumiałem ani słowa z tego, co mówiliśmy Bogu, ponieważ do Niego należy modlić się po hebrajsku, a ja nie znam tego języka. Żeby sprostać zadaniu, byłem zmuszony cały czas patrzeć wujkowi na usta, tak że z tego wszystkiego został mi właściwie tylko obraz wilgotnych, wijących się, mięsistych warg i niezrozumiały szmer obcych słów, które my dwaj mamrotaliśmy. No i jeszcze widok, który zobaczyłem przez okno nad ramionami wujka Lajosa: starsza z sióstr właśnie zmierzała w stronę ich mieszkania galeryjką piętro nad nami. Wydaje mi się, że odrobinę poplątałem wtedy tekst. Ale po modlitwie wujek Lajos wydawał się zadowolony i jego twarz miała taki wyraz, że niemal sam poczułem: załatwiliśmy coś w sprawie ojca. I rzeczywiście, teraz było mi lepiej niż przedtem, z tym ciążącym, natrętnym uczuciem.

Wróciliśmy do frontowego pokoju. Zapadł zmierzch. Zamknęliśmy zaklejone papierem okna przed niebieszczącym się za nimi mglistym wiosennym wieczorem. To wtłoczyło nas w pokój. Męczył mnie gwar. Dym z papierosów zaczął gryźć w oczy. Musiałem wciąż ziewać. Mama macochy nakryła do stołu. Sama przyniosła dla nas kolację w dużej torbie. Zdobyła nawet mięso na czarnym rynku. O tym opowiedziała już wcześniej, po przyjściu. Siedzieliśmy przy kolacji, gdy nagle zjawili się Steiner i Fleischmann. Oni też chcieli się pożegnać z ojcem. Pan Steiner zaczął od tego, żeby „nikt sobie nie przeszkadzał". Powiedział: – Jestem Steiner, proszę nie wstawać. – Na nogach miał, jak zawsze, postrzępione kapcie, spod rozpiętej kamizelki wystawał okrągły brzuch, a w ustach tkwił odwieczny, cuchnący ogryzek cygara. Ma wielką rudą głowę, na której widnieje chłopięca fryzura z przedziałkiem. Pan Fleischmann całkiem przy nim ginął, bo on jest drobny, bardzo zadbany, ma siwe włosy, ziemistą cerę, sowie okulary i zawsze nieco zatroskaną minę. Bez słowa ukłonił się, stojąc u boku pana Steinera, i wyłamywał palce, jakby chciał się usprawiedliwić, takie robił wrażenie, z powodu pana Steinera. Tego jednak nie jestem pewien. Dwaj starcy są nierozłączni, choć ustawicznie się kłócą, bo nie ma takiej sprawy, w której by się zgadzali. Kolejno uścisnęli ojcu rękę. Pan Steiner poklepał go nawet po plecach. Nazwał „starym" i błysnął wyświechtanym dowcipem: – Spuść tylko głowę, a nigdy nie utracisz słabości ducha. – Powiedział jeszcze, na co pan Fleischmann skwapliwie pokiwał głową, że będą się opiekować mną i „młodą panią" (jak nazywał macochę). Zamrugał małymi oczkami. Potem przyciągnął ojca do brzucha i objął. Kiedy sobie poszli, wszystko utonęło w szczęku sztućców, szmerze rozmów, w parze unoszącej się znad talerzy i gęstym dymie tytoniowym. Docierały już do mnie tylko osobne fragmenty jakiejś twarzy lub gestu, jakby wydzielając się z otaczającej mnie mgły, zwłaszcza trzęsącej się, żółtej, kościstej głowy mamy mojej macochy, która dbała o talerze, a potem uniesionych w geście protestu dłoni wujka Lajosa, kiedy nie chciał mięsa, ponieważ to wieprzowina i zakazuje mu religia; pucołowatych policzków siostry macochy, ruszającej się szczęki i łzawiących oczu; później niespodziewanie uniosła się różowo w krąg światła lampy łysa czaszka wujka Viliego i słyszałem urywki jego nowych optymistycznych wywodów; dalej pamiętam uroczyste, przyjęte w niemej ciszy słowa wujka

Lajosa, w których prosił Boga o pomoc, abyśmy „wkrótce znów mogli wszyscy razem zasiąść przy rodzinnym stole, w pokoju, miłości i zdrowiu". Ojca prawie nie widziałem, a jeśli chodzi o macochę, dotarło do mnie jedynie to, że zajmowano się nią bardzo dużo i taktownie, chyba więcej niż ojcem, i że w którejś chwili rozbolała ją głowa, więc kilka osób pytało, czy nie chce tabletki lub okładu, ale nie chciała niczego. W nieregularnych odstępach czasu musiałem natomiast zwracać uwagę na babkę, bo wciąż wędrowała i wciąż trzeba ją było odprowadzać na kanapę, na jej ciągłe narzekania i nic niewidzące oczy, które pod grubymi szkłami okularów były zamglone od łez i wyglądały jak dwa osobliwe, pocące się owady. Potem w pewnej chwili wszyscy wstali od stołu. Wtedy zaczęło się ostateczne pożegnanie. Babka i dziadek odeszli osobno, trochę wcześniej niż rodzina macochy. A największe wrażenie tego całego wieczoru zostało mi z jedynego czynu dziadka, którym zwrócił na siebie uwagę: na moment, ale gwałtownie, niemal bezrozumnie, przytulił małą, szpiczastą, ptasią główkę do marynarki ojca, na piersi. Jego drobnym ciałem wstrząsnął dreszcz. I zaraz pospiesznie ruszył do wyjścia, prowadząc babkę za łokieć. Wszyscy rozstąpili się przed nimi. Potem mnie też obejmowali i czułem na twarzy lepkie ślady ich warg. Wreszcie nastała cisza, bo wszyscy odeszli.

I wtedy ja też pożegnałem się z ojcem. Albo raczej on ze mną. Sam nie wiem. Nie pamiętam nawet dokładnie okoliczności: ojciec chyba wyszedł z gośćmi, bo przez jakiś czas tylko ja zostałem przy stole z resztkami kolacji i ocknąłem się dopiero, kiedy ojciec wrócił. Był sam. Chciał się ze mną pożegnać. – Jutro o świcie nie będzie już na to czasu – powiedział. On również mówił o mojej odpowiedzialności i dorośnięciu, z grubsza to samo, co słyszałem już tego popołudnia od wujka Lajosa, tylko bez Boga, nie w tak pięknych słowach i znacznie krócej. Wspomniał też o mojej matce, był zdania, że ona może teraz spróbować „zwabić mnie do siebie". Widziałem, że dręczyła go ta myśl. Tych dwoje bowiem długo walczyło o prawo do mnie, dopóki wreszcie wyrok sądowy nie oddał mnie ojcu: teraz i ja uznałem, że to zrozumiałe, nie chciał mnie utracić tylko z powodu swej niekorzystnej sytuacji. Ale nie powoływał się na prawo, lecz na moje zrozumienie i na różnicę między macochą, która „stworzyła mi ciepły dom rodzinny", a moją matką, która mnie „porzuciła". Zacząłem słuchać uważnie, bo na ten temat słyszałem od matki co innego: według niej winien był ojciec. Dlatego musiała znaleźć sobie innego męża, niejakiego pana Diniego (naprawdę ma na imię Dénes), który, nawiasem mówiąc, właśnie w ubiegłym tygodniu wyjechał, również do obozu pracy. Ale właściwie nigdy nie udało mi się dokładnie zorientować w ich sprawach i ojciec natychmiast znów zaczął o macosze, wspominając, że to dzięki niej nie muszę być w bursie i że moje miejsce jest „w domu, przy niej". Dużo jeszcze o niej mówił i teraz już się domyśliłem, dlaczego nie ma przy tej rozmowie macochy: na pewno by ją krępowała. Mnie zaś zaczęła nieco męczyć. I sam nie wiem, co obiecałem ojcu, gdy tego ode mnie żądał. Ale już w następnej chwili znalazłem się nagle w jego ramionach i jakoś nie byłem przygotowany na ten niespodziewany uścisk po tamtych słowach. Nie wiem, czy dlatego popłynęły mi łzy, czy zwyczajnie ze zmęczenia, a może od pierwszej porannej uwagi macochy szykowałem się jakoś na to, że w pewnej chwili muszą bezwzględnie popłynąć: tak czy owak, dobrze, że popłynęły, i wydawało mi się, że i ojcu sprawiło to przyjemność. Później posłał mnie do łóżka. Byłem już bardzo zmęczony. Ale, myślałem, przynajmniej mogliśmy puścić tego biedaka do obozu ze wspomnieniem pięknego dnia.

2

Minęły dwa miesiące, odkąd pożegnaliśmy ojca. Mamy lato. Lecz w gimnazjum już dawno, jeszcze wiosną, dali nam wakacje. Powiedzieli: jest wojna. Samoloty też często nadlatują bombardować miasto i wydano tymczasem nowe przepisy przeciwko Żydom. Od dwóch tygodni ja też muszę pracować. Zawiadomili mnie urzędowym pismem: „przydział stałego zatrudnienia", zaadresowanym: „György Köves, nieletni, robotnik niewykwalifikowany", i od razu wiedziałem, że jest w tym ręka tych z levente*. Ale słyszałem też, że obecnie w fabrykach lub tego rodzaju miejscach zatrudnia się ludzi, którzy ze względu na wiek nie nadają się jeszcze do służby pracy, jak choćby ja. Jest nas tu razem ze mną osiemnastu chłopaków w wieku około piętnastu lat. Zakład znajduje się na Csepel, jest to pewna spółka akcyjna, która nazywa się Zakłady Rafineryjne „Shell". Właściwie zyskałem nawet pewien przywilej, ponieważ z żółtą gwiazdą nie wolno przekraczać granic miasta. Ja natomiast dostałem do ręki przepisową legitymację, zaopatrzoną w pieczęć komendanta zakładu produkującego dla potrzeb wojennych, gdzie jest napisane, że „mogę przekraczać granicę celną na Csepel".

Sama praca, nawiasem mówiąc, nie jest zbyt męcząca i w towarzystwie chłopaków nawet dość zabawna: jesteśmy pomocnikami murarzy. Zakład zbombardowano, więc musieliśmy naprawiać szkody wyrządzone przez samoloty. Majster jest bardzo sprawiedliwy: pod koniec tygodnia wręcza nam nawet wypłatę, tak samo jak normalnym robotnikom. Ale macocha najbardziej cieszyła się z legitymacji. Do tej pory mianowicie, ilekroć wybierałem się w drogę, zawsze się martwiła, jak się wytłumaczę, gdyby zaszła taka potrzeba. Teraz

---

*Założona w 1921 roku organizacja młodzieżowa, skupiająca chłopców w wieku od 13 do 21 lat, którzy uczestniczyli w obowiązkowym przeszkoleniu wojskowym.

nie ma się już o co niepokoić, przecież legitymacja zaświadcza, że nie żyję dla własnej przyjemności, lecz jestem pożyteczny dla przemysłu wojennego, a to już podlega całkiem innej ocenie, oczywiście. Rodzina jest tego samego zdania. Tylko starsza siostra macochy trochę ubolewała, że muszę pracować jako fizyczny, i niemal z płaczem zapytała, czy po to chodziłem do gimnazjum. Powiedziałem jej, że według mnie to zdrowa praca. Wujek Vili natychmiast przyznał mi rację, także wujek Lajos upomniał ją: musimy przyjąć zrządzenia boskie; na to ucichła. Wtedy wujek Lajos odwołał mnie na stronę i zamienił ze mną parę poważniejszych słów: między innymi przestrzegł mnie, bym nie zapominał, że w pracy reprezentuję nie tylko siebie, ale i „całą wspólnotę żydowską", i żebym chociaż z tego powodu zachowywał się, jak należy, bo na tej podstawie będą oceniać nas wszystkich. Rzecz jasna, o tym bym nie pomyślał. Ale zrozumiałem, oczywiście, wujek może mieć rację.

Od ojca też regularnie przychodzą z obozu listy: dzięki Bogu jest zdrowy, dobrze znosi pracę, a traktują ich, pisze, po ludzku. Rodzina jest zadowolona z ich treści. Także wujek Lajos jest zdania, że Bóg dotąd był z ojcem, więc należy się codziennie modlić, aby dalej się nim opiekował, ponieważ my wszyscy jesteśmy w Jego mocy. Wujek Vili zaś zapewnił: musimy już tylko jakoś wytrwać „krótki, przejściowy okres", bo jak wyjaśnił, lądowanie aliantów w Normandii teraz już „ostatecznie przypieczętowało los" Niemców.

Dotychczas zawsze bez większych problemów wychodziłem z macochą na swoje. Ona, przeciwnie niż ja, zmuszona jest do bezczynności: ogłoszono mianowicie przepis, że musi zamknąć sklep, bo osoba nieczystej krwi nie może zajmować się handlem. Wydaje się, że ojciec miał szczęście, kiedy postawił na pana Sütő, bo on co tydzień wiernie, tak jak to obiecał ojcu, przynosi to, co należy się macosze z zysku naszego składu, który jest teraz jego własnością. Ostatnio też był punktualny i położył na naszym stole całkiem niczego sumkę, jak widziałem. Pocałował macochę w rękę, do mnie powiedział kilka przyjaznych słów. Wypytywał też jak zawsze szczegółowo o los „pana szefa". Już miał się żegnać, kiedy coś sobie jeszcze przypomniał. Wyjął z teczki paczkę. Miał trochę zakłopotaną minę. – Mam nadzieję, szanowna pani – odezwał się – że przyda się w domu. – W paczce był smalec, cukier i inne tego rodzaju rzeczy. Podejrzewam, że kupił je na czarnym rynku, bo i on pewnie czytał to zarządzenie, że Żydzi muszą się odtąd zadowolić mniejszymi przydziałami żywności. Macocha z początku próbowała się wymawiać, ale pan Sütő bardzo nalegał, a ona przecież nie mogła kwestionować jego uprzejmości. Kiedy zostaliśmy sami, zapytała mnie, czy uważam, że postąpiła słusznie, przyjmując paczkę. Uważałem, że słusznie, bo przecież nie mogła obrażać pana Sütő, w końcu on chciał dobrze. Była tego samego zdania i powiedziała, że jak sądzi, ojciec by jej postępowanie pochwalił. Rzeczywiście, ja też tak sądzę. Zresztą ona wie to lepiej ode mnie.

Chodzę też dwa razy w tygodniu odwiedzać matkę, w przysługujące jej popołudnia, jak zawsze. Z nią mam więcej problemów. Jak przepowiedział ojciec, nijak nie może się pogodzić, że moje miejsce jest przy macosze. Mówi, że „należę" do niej, do matki. Ale jak wiem, sąd przyznał mnie ojcu i to postanowienie nas obowiązuje. Matka natomiast w ostatnią niedzielę wypytywała mnie, jak chciałbym żyć – bo według niej ważna jest jedynie moja wola i to, czy ją kocham. Powiedziałem jej: jakże miałbym cię nie kochać! Ale matka mi wyjaśniła, że kochać to tyle, co „być do kogoś przywiązanym", ona zaś widzi, że jestem przywiązany do macochy. Próbowałem jej wytłumaczyć, że się myli, przecież w końcu to nie ja jestem do niej przywiązany, tylko, jak sama wie, ojciec tak zdecydował w mojej sprawie. Ale ona na to powiedziała, że tu chodzi o mnie, o moje życie, o nim zaś powinienem decydować sam, i że o miłości „świadczą nie słowa, lecz czyny". Wyszedłem od niej całkowicie przybity: oczywiście nie mogę pozwolić, by naprawdę myślała, że jej nie kocham – ale z drugiej strony nie mogę też brać całkiem poważnie tego, co mówiła o mojej woli i o tym, że sam powinienem o sobie decydować. W końcu to jest ich spór. I rozstrzyganie go byłoby dla mnie krępujące.

A zresztą nie mogę okradać ojca, kiedy biedak jest w obozie. Ale jednak było mi nieprzyjemnie, gdy wsiadałem do tramwaju, bo, rzecz jasna, jestem przywiązany do matki i, rzecz jasna, martwiło mnie, że i dziś nie mogłem nic dla niej zrobić.

Może powodem tego nieprzyjemnego uczucia było to, że nie spieszyłem się, by wyjść od matki. Nawet ona nalegała: robi się późno, a z żółtą gwiazdą można się pokazywać na ulicy tylko do ósmej wieczorem. Wytłumaczyłem jej jednak, że teraz już, mając legitymację, nie muszę tak straszliwie ściśle przestrzegać wszystkich przepisów.

Niezależnie od tego do tramwaju wskoczyłem zgodnie z przepisem na ostatni pomost ostatniego wagonu. Było około ósmej, kiedy dotarłem do domu, i choć letni wieczór wydawał się jeszcze jasny, niektórzy już zaczynali zamykać okna z czarnymi i niebieskimi szybami. Macocha trochę się niecierpliwiła, ale i ona raczej tylko z przyzwyczajenia, w końcu mam legitymację.

Wieczór, jak zwykle, spędziliśmy u Fleischmannów. Dwaj starcy czują się dobrze, nadal stale się kłócą, ale jednak zgodnie pochwalili, że chodzę do pracy, oni też z powodu legitymacji, oczywiście. Na początku nawet się poróżnili, tacy byli gorliwi. Mianowicie ani ja, ani macocha nie znamy dobrze okolic Csepel, więc przy pierwszej okazji prosiliśmy ich o wskazówki, jak tam dotrzeć. Stary Fleischmann proponował kolejkę podmiejską, pan Steiner natomiast doradzał autobus, bo ten, powiedział, przystaje tuż przy zakładach, a od kolejki trzeba jeszcze kawałek przejść. Okazało się, że tak właśnie jest. Ale wtedy jeszcze tego nie wiedzieliśmy i pan Fleischmann bardzo się złościł: - Zawsze pan musi mieć rację - gderał. W końcu musiały interweniować dwie grube żony. Długo śmialiśmy się z tego z Annąmarią.

Nawiasem mówiąc, znalazłem się z nią w całkiem osobliwej sytuacji. Wydarzyło się to przedwczoraj, w piątek, podczas nocnego alarmu lotniczego w schronie, a dokładniej, w odchodzącym z niego opuszczonym, na wpół mrocznym korytarzu. Z początku chciałem jej tylko pokazać, że tu łatwiej się zorientować, co się dzieje na zewnątrz. Ale kiedy gdzieś tak po minucie naprawdę głośniej usłyszeliśmy bombę, zaczęła dygotać na całym ciele. Dobrze to wyczuwałem, bo ze strachu uwiesiła się na mnie: jej ręce obejmowały moją szyję, twarz ukryła mi na ramieniu. Potem pamiętam już tylko tyle, że poszukałem jej ust. Poczułem miękkie, wilgotne, niemal mokre dotknięcie. No i pewnego rodzaju pogodne zaskoczenie, bo to był mój pierwszy pocałunek z dziewczyną, w dodatku wtedy wcale na to nie liczyłem.

Wczoraj na schodach okazało się, że i ona była bardzo zaskoczona. - Wszystko przez tę bombę - orzekła. Chyba miała rację. Potem znów się pocałowaliśmy i wtedy nauczyłem się od niej, że to przeżycie może zostawić jeszcze trwalsze wspomnienie, dzięki temu, że i język otrzyma w nim pewną rolę.

Dziś wieczorem też byłem z nią w drugim pokoju, żeby obejrzeć rybki Fleischmannów; rybki naprawdę mamy zwyczaj oglądać także kiedy indziej. Teraz, rzecz jasna, poszliśmy nie tylko po to. Pracowaliśmy też nad językami. Ale szybko wróciliśmy, bo Annamaria się bała: jej wujostwo mogą coś wyniuchać. Później, podczas rozmowy, dowiedziałem się jeszcze innej ciekawostki, co myśli mianowicie na temat mojej osoby: przedtem nie wyobrażała sobie, powiedziała, że „mogę być dla niej kimś więcej" niż tylko „dobrym kolegą". Kiedy mnie poznała, wydawałem się jej z początku zwykłym wyrostkiem. Później, zdradziła, przyjrzała mi się lepiej i zbudziło się w niej pewne zrozumienie dla mnie, może, jak sądzi, dzięki podobnej sytuacji naszych rodziców, a z takiej czy innej mojej wypowiedzi wywnioskowała, że w niektórych sprawach myślimy tak samo; ale wtedy jeszcze nic ponadto nie przychodziło jej do głowy. Zamyśliła się trochę, jakie to dziwne, i powiedziała też: – Wygląda na to, że tak się musiało stać. – Ciekawe, jej twarz miała niemal surowy wyraz i nie zakwestionowałem jej słów, lecz coraz bardziej zgadzałem się z tym, co powiedziała wczoraj, że to wszystko przez bombę. Ale oczywiście nie byłem pewien, miałem też wrażenie, że bardziej się jej podoba to, co powiedziała dzisiaj. Wkrótce potem pożegnaliśmy się, przecież jutro miałem iść do pracy, a kiedy uścisnąłem jej rękę, poczułem ostry ból wpijającego się paznokcia. Zrozumiałem aluzję do naszej tajemnicy, a twarz Annymarii jakby mówiła: „wszystko w porządku".

Następnego dnia natomiast zachowywała się dość dziwnie. Mianowicie po południu, kiedy wróciłem z roboty i najpierw się umyłem, zmieniłem koszulę i buty i przeczesałem włosy wilgotnym grzebieniem, poszliśmy do sióstr – bo Annamaria zdążyła już nas zapoznać, zgodnie ze swoim dawniejszym planem. Ich mama przyjęła mnie serdecznie. (Ojciec jest w służbie pracy.) Mają okazałe mieszkanie z balkonem, kilkoma dużymi dywanami i osobnym, mniejszym pokojem dla obu dziewczynek. Jest tam fortepian, mnóstwo lalek i innych dziewczyńskich rzeczy. Przeważnie grywamy w karty, ale starsza z sióstr nie miała dziś na to ochoty. Chciała najpierw z nami porozmawiać o pewnej sprawie, która ostatnio bardzo ją intryguje: chodzi mianowicie o żółtą gwiazdę. Rzecz w tym, że „spojrzenia ludzi" uprzytomniły jej zmianę – uważa bowiem, że ludzie się zmienili, i widzi w ich oczach, że „jej nienawidzą". Spostrzegła to także dziś przed południem, kiedy na polecenie mamy poszła na zakupy. Mnie się jednak wydaje, że ona trochę przesadza. Ja przynajmniej tego nie doświadczyłem. Na przykład w mojej pracy zdarzają się tacy majstrowie, o których powszechnie wiadomo, że nie cierpią Żydów, dla nas,

chłopaków, są jednak całkiem przyjacielscy. Co ani na
jotę nie zmienia ich poglądów, oczywiście. Potem
przyszedł mi do głowy piekarz i próbowałem wytłumaczyć dziewczynie, że tak naprawdę wcale nie chodzi
o nią, nie jej nienawidzą – przecież w końcu nawet jej
nie znają – tylko raczej samego pojęcia „Żyd". Wtedy
oznajmiła, że ona też się nad tym zastanawiała, ale
właściwie nie bardzo wie, co to takiego. Annamaria
powiedziała jej, że przecież każdy wie: wyznanie. Ale ją
interesowało nie to, tylko „sens". – W końcu człowiek
chce wiedzieć, za co go nienawidzą – rzekła. Przyznała
się, że z początku nic z tego nie rozumiała i straszliwie
ją bolało, kiedy widziała ich pogardę „tylko dlatego, że
jest Żydówką". Wtedy poczuła po raz pierwszy, że jak
powiedziała, coś ją dzieli od ludzi i że ona należy gdzie
indziej niż oni. Potem zaczęła myśleć, próbowała szukać wyjaśnienia w książkach i rozmowach, aż wreszcie
pojęła: właśnie tego w niej nienawidzą. Doszła mianowicie do wniosku, że „my, Żydzi, różnimy się od innych" i właśnie dlatego ludzie nas nienawidzą. Wspomniała też, jak dziwnie się żyje „z poczuciem tej
inności" i że czuje z jej powodu to pewną dumę, to
znów raczej jakiś wstyd. Chciała się dowiedzieć, jak jest
z naszą innością, i zapytała, czy odczuwamy dumę, czy
też się raczej wstydzimy. Jej młodsza siostra i Annamaria nie bardzo wiedziały. Ja też raczej nie miałem
dotąd powodów do takich uczuć. Zresztą człowiek nie
decyduje sam o pewnych różnicach: w końcu właśnie

po to, jak wiem, są żółte gwiazdy. Tak powiedziałem. Ale ona się upierała: różnice „nosimy w sobie". Dla mnie natomiast istotniejsze jest to, co widać. Długo dyskutowaliśmy, nie wiem po co, przecież prawdę mówiąc, sprawa nie wydawała mi się aż tak ważna. Było jednak w jej rozumowaniu coś, co mnie drażniło: uważałem, że wszystko jest znacznie prostsze. No a poza tym chciałem wziąć górę w tej dyskusji, oczywiście. Raz czy dwa Annamaria też chciała coś wtrącić, ale nie miała okazji, ponieważ my dwoje nie bardzo zwracaliśmy na nią uwagę.

Wreszcie podałem jej pewien przykład. Niekiedy, tylko tak, dla zabicia czasu, zastanawiałem się nad tym, teraz mi się przypomniało. I jeszcze książka, którą niedawno czytałem: królewicz i żebrak, zadziwiająco, jak dwie krople wody do siebie podobni z twarzy i postaci, ze zwykłej ciekawości zamienili się losami i żebrak stał się prawdziwym królewiczem, a królewicz żebrakiem. Powiedziałem dziewczynie, żeby spróbowała to sobie wyobrazić. Oczywiście to mało prawdopodobne, ale w końcu różne rzeczy się zdarzają. Powiedzmy, kiedy była całkiem malutkim dzieckiem, co to nie potrafi jeszcze ani mówić, ani pamiętać, przydarzyło się jej, nieważne jak, że, załóżmy, w jakiś sposób ją podmieniono czy też została zamieniona na dziecko takiej rodziny, która jest bez zarzutu pod względem rasowym. Otóż w tej wyobrażonej sytuacji różnicę czułaby tamta druga dziewczyna i rzecz jasna, nosiłaby też żółtą gwiazdę, podczas gdy ona, dzięki swej nowej rodzinie, czułaby się taka sama jak reszta ludzi – i oczywiście inni też by ją tak widzieli – nie myślałaby, nie wiedziała o różnicy. Zauważyłem, że to na nią podziałało. Najpierw zamilkła i z wolna, tak miękko, że niemal tylko to wyczułem, rozchyliła wargi, jakby chciała coś powiedzieć. Ale jednak nie powiedziała, zdarzyła się natomiast inna, znacznie dziwniejsza rzecz: rozpłakała się. Ukryła twarz w zgięciu łokcia opartego na stole, a jej ramiona drgały spazmatycznie. Okropnie się zdziwiłem, bo przecież nie o to mi chodziło, no i sam ten widok mnie krępował. Pochyliłem się nad nią i dotykając jej włosów, ramion i ręki, prosiłem: niech nie płacze. Ale ona z goryczą i wciąż załamującym się głosem wykrzyczała coś w tym rodzaju, że skoro nie chodzi o nasze cechy, to wszystko jest tylko dziełem przypadku, i skoro ona mogłaby być inna, niż zmuszona jest być, to „wszystko nie ma sensu”, i że tej myśli, jak sądzi, „nie można znieść”. Zakłopotałem się, bo to była przecież moja wina, ale nie mogłem przewidzieć, że ta sprawa może być dla niej aż tak ważna. Już niemal miałem na końcu języka, żeby się nie przejmowała, przecież dla mnie to wszystko nic nie znaczy, ja nie gardzę jej rasą, ale od razu wyczułem, że byłbym śmieszny, więc milczałem. Ale było mi przykro, że nie mogę tego powiedzieć, bo w tej chwili naprawdę tak czułem, całkiem niezależnie od mojej sytuacji. Choć oczywiście możliwe, że w innej sytuacji moje zdanie byłoby inne. Nie wiem. Wiedziałem natomiast, że nie da się tego sprawdzić. Jednak w jakiś sposób było to dla mnie krępujące. I nie wiem dokładnie, z jakiego powodu, ale teraz przydarzyło mi się po raz pierwszy, że poczułem coś takiego, co, jak sądzę, przypominało trochę wstyd.

Ale dopiero na klatce schodowej dowiedziałem się, że tym uczuciem uraziłem widocznie Annęmarię, ponieważ zachowała się dziwnie. Mówiłem do niej, a ona nie odpowiadała. Próbowałem wziąć ją za ramię, ale wyrwała się i zostawiła mnie na schodach.

Następnego popołudnia daremnie na nią czekałem. Tak więc i ja nie mogłem iść do sióstr, bo dotąd zawsze chodziliśmy tam razem i z pewnością wzięłyby mnie na spytki. Zresztą coraz lepiej rozumiałem to, co powiedziała w niedzielę.

Wieczorem już przyszła do Fleischmannów. Ale z początku prawie się do mnie nie odzywała i twarz złagodniała jej nieco dopiero wtedy, kiedy na jej uwagę, że ma nadzieję, miło spędziliśmy z siostrami popołudnie, odparłem: nie byłem u nich. Chciała wiedzieć dlaczego, na co powiedziałem, zresztą zgodnie z prawdą, że nie chciałem bez niej; widziałem, że spodobała się jej moja odpowiedź. Po jakimś czasie okazała się nawet skłonna obejrzeć ze mną rybki – i wróciliśmy stamtąd już zupełnie pogodzeni. Później, wieczorem, zrobiła tylko jedną uwagę na temat tej sprawy: – To była nasza pierwsza kłótnia – powiedziała.

3

Nazajutrz przydarzyło mi się coś dziwnego. Wstałem wcześnie rano i jak zwykle wyruszyłem do pracy. Zapowiadał się gorący dzień i autobus też był zatłoczony. Zostawiliśmy już za sobą domy przedmieścia i przejechaliśmy krótkim, ponurym mostem, który prowadzi na Csepel: stąd droga biegnie dalej przez otwartą przestrzeń, pola, mijając jakąś płaską budowlę w rodzaju hangaru po lewej stronie i rozrzucone szklarnie ogrodnictw po prawej, i tu nagle autobus gwałtowanie zahamował, potem usłyszałem z zewnątrz strzępy słów wypowiadanych rozkazującym tonem, które później dotarły do mnie za pośrednictwem konduktora i innych pasażerów, że jeśli wśród nas są Żydzi, mają wysiąść. No, pomyślałem, pewnie chcą skontrolować dokumenty w związku z przekroczeniem granicy.

Rzeczywiście na jezdni znalazłem się twarzą w twarz z policjantem. Natychmiast bez słowa wyciągnąłem ku niemu legitymację. Ale on najpierw odesłał krótkim gestem autobus. Już myślałem, że nie rozumie legitymacji, i właśnie miałem zamiar mu wyjaśnić, że jak widzi, pracuję w zakładzie wojennym i z pewnością nie mam czasu do stracenia, kiedy nagle droga wokół mnie wypełniła się głosami i chłopakami, moimi kolegami od Shella. Wychodzili zza nasypu. Okazało się: ich policjant wysadził już z wcześniejszych autobusów i cieszyli się, że ja też przyjechałem. Nawet policjant się uśmiechnął, wprawdzie jakby z daleka, ale jednak on także uczestniczył w zabawie; od razu wiedziałem, że nie ma nam nic do zarzucenia – bo i skąd mógłby mieć, oczywiście. Zapytałem chłopaków, co to wszystko ma znaczyć, ale na razie oni też nie wiedzieli.

Potem policjant zatrzymywał wszystkie autobusy nadjeżdżające od strony miasta: stawał w pewnej odległości przed nimi, wymachując podniesioną ręką – nas odsyłał wtedy za nasyp. I za każdym razem powtarzała się ta sama scena: najpierw zaskoczenie nowych chłopaków, a potem śmiech. Policjant robił wrażenie zadowolonego. Upłynął w ten sposób kwadrans, mniej więcej. Był czysty letni poranek, na stoku nasypu – czuliśmy to, wylegując się na nim – słońce już zaczynało nagrzewać trawę. W dali, wśród niebieszczących się oparów, było wyraźnie widać opasłe cysterny Shella. Za nimi fabryczne kominy, a jeszcze dalej, już niewyraźnie, ostre kontury kościelnej wieży. Z autobusów pojedynczo lub grupkami wychodzili chłopcy. Pojawił się powszechnie lubiany, bardzo żywy, piegowaty chłopak z czarnymi włosami ostrzyżonymi na jeża: Kaletnik, jak go tu wszyscy nazywają – bo inaczej niż reszta, która przeważnie chodziła do jakichś szkół, on wybrał ten zawód. Potem Palacz: rzadko się go widuje bez papierosa. Co prawda, inni też na ogół palą i żeby od nich nie odstawać, ostatnio nawet ja sam spróbowałem; on jednak, jak zauważyłem, palił całkiem inaczej, z niemal gorączkową zachłannością. Jego oczy też mają taki dziwny, gorączkowy wyraz. Jest raczej milczący, trochę nieprzystępny: nie można powiedzieć, żeby był naszym ulubieńcem. Ale ja go jednak kiedyś zapytałem, co takiego widzi w tych stertach papierosów. Na co udzielił mi takiej oto lakonicznej odpowiedzi: – Tańsze niż jedzenie. – Zmieszałem się nieco, bo taki powód nie wpadł mi do głowy. Ale jeszcze bardziej zdziwił mnie wyraz jego.oczu, szyderczy, niemal osądzający, kiedy spostrzegł moje zakłopotanie. To było nieprzyjemne, więc go już dalej nie wypytywałem. Ale też zrozumiałem tę ostrożność, z jaką traktowali go inni. Już z radośniejszymi okrzykami powitali następnego: bliżsi koledzy nazywają go po prostu Jedwabnym Chłopcem. Wydawało mi się to trafne z powodu jego jedwabiście lśniących ciemnych włosów, wielkich, szarych oczu i w ogóle całej powierzchowności; dopiero później dowiedziałem się, że to wyrażenie znaczy też co innego: alfons, i właśnie dlatego ma takie przezwisko, że podobno bardzo zręcznie kręci się koło dziewczyn. Któryś autobus przywiózł też Roziego; naprawdę nazywa się Rozenfeld, ale wszyscy w ten sposób skracają jego nazwisko. Z jakiegoś powodu cieszy się u nas autorytetem i jeśli mamy problemy, zawsze się zgadzamy z jego zdaniem; to on w naszym imieniu załatwia wszystko z majstrem. Słyszałem, że kończy szkołę handlową. Z rozumną, nieco przydługą twarzą, jasnymi, falującymi włosami i niebieskimi jak woda

44

oczami przypomina stare muzealne obrazy, pod którymi widnieją napisy „Infant z ogarem" lub coś w tym stylu. Przyjechał też Moskovics, drobny chłopak o nieregularnej, powiedziałbym, brzydkiej twarzy, na dodatek na szerokim, tępym nosie ma okulary z silnymi, grubymi szkłami, takie jak babcia – i tak dalej, cała reszta. Większość sądziła podobnie jak ja, że cała sprawa jest trochę niezwykła, ale to musi być pomyłka lub coś w tym rodzaju. Rozi, którego namówiło kilku chłopaków, poszedł zapytać policjanta: czy nie będziemy mieli kłopotów, jeśli spóźnimy się do pracy, i kiedy właściwie ma nas zamiar puścić. Policjant ani trochę nie pogniewał się o to pytanie, ale, odpowiedział, to nie zależy od niego, od jego decyzji. Jak się okazało, naprawdę wiedział nie więcej od nas: wspomniał o jakimś „dalszym rozkazie", który ma nadejść za tym poprzednim, i właśnie dlatego musimy tu czekać, tak to mniej więcej wyjaśnił. To wszystko, jeśli nawet nie do końca zrozumiałe, było jednak możliwe do przyjęcia. Zresztą i tak musieliśmy słuchać policjanta. Co wydawało się o tyle łatwiejsze, że mieliśmy legitymacje, na których widniała pieczęć władz przemysłu wojennego, i nie widzieliśmy żadnego powodu, żeby brać policjanta za bardzo na serio, było to samo przez się zrozumiałe. On natomiast widział – jak się okazało z jego słów – że ma do czynienia z „rozsądnymi chłopcami", na których zdyscyplinowanie, dodał, może liczyć także w dalszym ciągu; odniosłem wrażenie, że mu się spodobaliśmy. On sam też wydawał się sympatyczny: był dość niski, ani młody, ani stary, z czystymi, bardzo jasnymi oczami w ogorzałej twarzy. Z niektórych jego słów wywnioskowałem, że musiał pochodzić z prowincji.

Była siódma: o tej porze zaczyna się praca. Autobusy nie przywoziły już nowych chłopaków i wtedy policjant zapytał, czy kogoś jeszcze spośród nas brakuje. Rozi policzył nas i oznajmił: jesteśmy w komplecie. Wtedy policjant doszedł do wniosku, że jednak nie będziemy tu sterczeć na skraju drogi. Wyglądał na zatroskanego i wydawało mi się, że był na nas tak samo nieprzygotowany jak my na niego. Nawet zapytał: – Co mam teraz z wami zrobić? – ale rzecz jasna, w tym już nie mogliśmy mu pomóc. Otoczyliśmy go beztrosko, ze śmiechem, niczym nauczyciela na jakiejś wycieczce, on zaś stał wśród nas z zamyśloną miną, wciąż gładząc podbródek. Wreszcie zaproponował: – Chodźmy do komory celnej.

Poszliśmy z nim do podniszczonego, samotnie stojącego zaraz przy drodze parterowego budynku: to była komora celna, o czym informował osmagany deszczem i wiatrem napis. Policjant wyjął pęk podzwaniających kluczy i wybrał spośród nich ten, który pasował do zamka. Wewnątrz znajdowało się przyjemnie chłodne, przestronne, choć nieco pustawe pomieszczenie, gdzie było tylko kilka prycz i długi stół. Policjant otworzył też drugie drzwi, do znacznie mniejszego pokoju, który wyglądał na kancelarię. Przez szczelinę w drzwiach zauważyłem, że był tam dywan, biurko, a na nim aparat telefoniczny. Słyszeliśmy też, że policjant rozmawia przez telefon, ale nie udało nam się zrozumieć, o czym. Mam wrażenie, że starał się przyspieszyć rozkaz, bo kiedy wyszedł (starannie zamykając za sobą drzwi), powiedział: – Nic. Niestety, musimy czekać. – Zaproponował, żebyśmy się wygodnie rozlokowali. I zapytał, czy znamy jakąś grę towarzyską, na co Kaletnik zaproponował salonowca. To mu się jednak niezbyt spodobało i powiedział, że więcej się po nas spodziewał, „po takich mądrych chłopcach". Trochę z nami pożartował, a ja odniosłem wrażenie, że wszelkimi sposobami stara się nas jakoś zająć, byśmy nie mieli czasu na łamanie dyscypliny, o czym już wspomniał na drodze, ale wydawał się mało doświadczony w takich sprawach. Wkrótce zostawił nas samych, przedtem zaś wspomniał, że musi iść do roboty. Kiedy wyszedł, słyszeliśmy, jak przekręca klucz w zamku.

Niewiele mógłbym powiedzieć o tym, co było dalej. Wyglądało na to, że na rozkaz przyjdzie nam długo czekać. Ale nam się ani odrobinę nie spieszyło: w końcu traciliśmy nie swój czas. Co do tego byliśmy zgodni: przyjemniej siedzieć tu w chłodzie niż pocić się w pracy. W zakładzie jest mało zacienionych miejsc. Rozi chodził nawet do majstra, żeby nam pozwolił zdjąć koszule. Co prawda, nie jest to całkiem zgodne z przepisami, ponieważ wraz z koszulą zdejmujemy też żółtą gwiazdę, ale majster jednak się zgadzał, z przyzwoitości. Tylko papierowa skóra Moskovicsa ucierpiała na tym, bo raz-dwa plecy zrobiły mu się czerwone jak rak, a potem naśmiewaliśmy się, kiedy schodziły z niego długie strzępy skóry.

Rozlokowaliśmy się więc na pryczach lub na gołej podłodze komory celnej, ale już nie potrafiłbym powiedzieć, czym zabijaliśmy czas. W każdym razie padło wiele dowcipów; pojawiły się papierosy, a z czasem paczki z drugim śniadaniem. Wspominaliśmy też majstra: musiał się bardzo zdziwić dziś rano, gdy nie zjawiliśmy się w pracy. Ktoś wyjął hacele do gry w byka. Tego nauczyłem się już tu, od chłopaków: podrzuca człowiek hacel w górę i wygrywa ten, kto chwyci w garść najwięcej leżących przed nim haceli, zanim złapie ten podrzucony. Jedwabny Chłopiec długimi palcami wąskiej dłoni wygrał wszystkie partie. Potem Rozi nauczył nas piosenki, którą odśpiewaliśmy kilka razy. Jej ciekawostka polega na tym, że tekst, choć wciąż zawiera te same słowa, można czytać w trzech językach: jeśli doczepimy końcówki s, będzie po niemiecku, jeśli io, po włosku, a jeśli taki, po japońsku. Oczywiście to tylko taki wygłup, ale mnie rozbawił.

Później obejrzałem sobie dorosłych. Ich też policjant wyłowił z autobusów, tak samo jak nas. Pomyślałem, że skoro nie ma go z nami, robi to samo co rano. Z wolna zebrało się ich w ten sposób siedmiu czy ośmiu, sami mężczyźni. Ale widziałem, że oni przysporzyli policjantowi więcej pracy: zachowywali się niedorzecznie, kręcili głowami, tłumaczyli się, pokazywali dokumenty, zasypywali go pytaniami. Nas też wypytywali: a kto, a skąd? Ale potem trzymali się już tylko razem; odstąpiliśmy im kilka prycz, kulili się na nich lub dreptali obok. Rozmawiali między sobą, ale nie zwracałem na nich większej uwagi. Przede wszystkim próbowali odgadnąć, jaka też może być przyczyna postępowania policjanta lub jakie to zdarzenie może mieć konsekwencje; ale jak słyszałem, każdy miał na ten temat inne zdanie. To zaś, wydawało mi się, zależało głównie od dokumentów, w jakie byli zaopatrzeni, bo jak do mnie dotarło, wszyscy oczywiście mieli jakieś papiery, które upoważniały ich do przebywania na Csepel, we własnych sprawach albo z powodu użyteczności publicznej, jak my.

Jednak i wśród nich zaobserwowałem kilka interesujących typów. Zauważyłem na przykład, że jeden nie brał udziału w rozmowie, tylko przez cały czas czytał książkę, którą miał przy sobie. Był to bardzo wysoki, chudy człowiek, w żółtej wiatrówce; w zarośniętej twarzy między dwiema głębokimi bruzdami, które robiły wrażenie, jakby był w złym humorze, ostro rysowały się usta. Usadowił się na samym skraju jednej z prycz, przy oknie, ze skrzyżowanymi nogami, niemal tyłem do innych: może dlatego przypominał mi doświadczonego pasażera przedziałów kolejowych, który uważa za zbędne każde słowo, pytanie czy zwyczajowe zawieranie znajomości z przypadkowymi sąsiadami i siedzi znudzony i obojętny, zanim dotrze do celu – ja przynajmniej jakoś tak go widziałem.

Nieco starszego człowieka o miłej powierzchowności, srebrzystych skroniach i łysinie na czubku głowy zauważyłem, kiedy tylko wszedł – gdzieś przed południem: kiedy mianowicie policjant wpuścił go do nas, był bardzo oburzony. Zapytał nawet, czy jest tu telefon i „czy mógłby skorzystać". Policjant jednak oznajmił, że bardzo mu przykro, ale „ten telefon jest wyłącznie do celów służbowych"; wtedy zamilkł z gniewnym grymasem. Później z jego lakonicznej zresztą odpowiedzi na pytania innych dowiedziałem się, że on również należy do którejś z fabryk na wyspie: powiedział, że jest „ekspertem", ale nie sprecyzował jakim. Poza tym wyglądał na pewnego siebie i miałem wrażenie, że jest mniej więcej tego samego zdania co my, z tą różnicą, że on czuł się dotknięty zatrzymaniem. Zwróciłem uwagę, że o policjancie wypowiadał się zawsze lekceważąco i z pewną pogardą. Powiedział, że według niego policjant, „jak widać, otrzymał jakieś ogólne polecenie", które prawdopodobnie wykonuje ze zbytnią gorliwością. Uważał jednak, że sprawą zajmą się zapewne w końcu „osoby kompetentne", co, ma nadzieję, dodał, nastąpi możliwie szybko. Potem już źle słyszałem jego głos i zapomniałem o nim. Dopiero po południu znów zwrócił na siebie przelotnie moją uwagę, ale wtedy byłem już zmęczony i spostrzegłem tylko, że się niecierpliwi: to siadał, to wstawał, to splatał ręce na piersi, to zakładał je za plecy, to znów spoglądał na zegarek.

Był tam też dziwaczny człowieczek z charakterystycznym nosem, wielkim plecakiem, w pumpach i ogromnych buciorach; nawet jego żółta gwiazda wydawała się jakoś większa od innych. Ten wyglądał na bardzo zmartwionego. Narzekał zwłaszcza na „swojego pecha". Zapamiętałem mniej więcej jego przypadek, albowiem była to prosta historia, a on ją wielokrotnie powtarzał. Miał odwiedzić „ciężko chorą" matkę w gminie Csepel, opowiadał. Załatwił u władz specjalną przepustkę, miał ją przy sobie, pokazywał. Przepustka była ważna dziś do drugiej po południu. Jemu jednak coś wypadło, pewna sprawa, którą nazwał „pilną", potem dodał „w związku z warsztatem". Ale w urzędzie było dużo ludzi i musiał czekać, zanim przyszła na niego kolej. Już wtedy cała wyprawa wydała mu się niebezpieczna. Mimo to pospiesznie wsiadł do tramwaju, żeby zgodnie z pierwotnym planem dojechać na końcowy przystanek autobusu. Po drodze jednak porównał przypuszczalny czas drogi w jedną i drugą stronę z oznaczoną w przepustce godziną i wykalkulował: to byłoby ryzykowne. Ale na końcowym przystanku zobaczył, że południowy autobus jeszcze stoi. Wtedy więc, jak się od niego dowiedzieliśmy, pomyślał: – Ileż ja się nachodziłem za tą karteczką!...

A – dodał – biedna mamusia czeka. – Wspomniał, ile kłopotów mieli on i jego żona ze staruszką. Od dawna ją błagali: niech się przeniesie do nich, do miasta. Ale mama się ociągała, aż w końcu było za późno. Kręcił głową, że staruszka tak „za wszelką cenę" trzymała się domu. – A przecież tam nawet nie ma wygód – dodał. Ale cóż, ciągnął, musi ją zrozumieć, ostatecznie to jego matka. A biedaczka, dodał, jest chora i stara. Powiedział, że „nigdy by sobie nie wybaczył", gdyby zaprzepaścił tę okazję. No i jednak wdrapał się do autobusu. Tu na minutę zamilkł. Uniósł, potem powoli znów opuścił ręce bezradnym ruchem, a na jego czole pojawiły się jednocześnie tysiące drobnych, pytających zmarszczek: był trochę podobny do smutnego gryzonia, który wpadł w pułapkę. – Jak myślicie? – zapytał – czy będę miał z tego jakieś przykrości? – I czy uwzględnią, że przekroczenie dozwolonego terminu nie zdarzyło się z jego winy? I co pomyśli mama, którą zawiadomił o swoim przyjeździe, a w domu żona i dwoje małych dzieci, jeśli nie wróci o drugiej? Jak wywnioskowałem z kierunku jego spojrzenia, zależało mu zwłaszcza na opinii osobnika o godnej powierzchowności, Eksperta. Ten jednak w ogóle nie zwracał na niego uwagi: miał właśnie w ręce papierosa, którego niedawno wyciągnął, i postukiwał jego końcem o srebrzyście lśniące wieczko papierośnicy, przyozdobione wypukłymi literami i żłobkowanymi liniami. Był pogrążony w jakichś dalekich myślach i sprawiał wrażenie, jakby w ogóle nic nie słyszał z całej historii. Potem tamten znów miał pecha: gdyby znalazł się na końcowym przystanku o jedyne pięć minut później, nie złapałby już południowego autobusu; gdyby go nie złapał, nie czekałby na następny; zatem – zakładając, że wszystko dzieje się „z zaledwie pięcioma minutami różnicy" – teraz „nie siedziałby tu, tylko w domu", tłumaczył wciąż od początku.

No i pamiętam jeszcze człowieka podobnego do foki: był wysoki, korpulentny, miał czarne wąsy, okulary w złotych oprawkach i cały czas chciał „rozmawiać" z policjantem. Nie uszło też mojej uwagi, że próbował tego dokonać zawsze na osobności, nieco dalej od innych, jeśli to możliwe, w jakimś kącie lub przy drzwiach. – Panie władzo – słyszałem jego stłumiony, ochrypły głos – mógłbym z panem pogadać? – Albo: – Panie władzo... Tylko na słówko, jeśli można... – Wreszcie za którymś razem policjant spytał, czego sobie życzy. Ale wtedy tamten jakby się zawahał. Najpierw nieufnie popatrzył dokoła zza okularów. I choć znajdowali się tym razem w kącie nieopodal mnie, nic nie zrozumiałem z przytłumionego mamrotania: wydawało się, że chce o czymś policjanta przekonać. Potem na jego twarzy pojawił się poufały, słodziutki uśmieszek. Jednocześnie pochylał się ku policjantowi, najpierw tylko trochę, potem stopniowo coraz bliżej. I zauważyłem, że robi przy tym jakiś dziwny gest. Nie bardzo rozumiałem to wszystko:

z początku odniosłem wrażenie, że chce po coś sięgnąć do wewnętrznej kieszeni. I ten gest wydał mi się tak doniosły, jakby ów człowiek chciał pokazać policjantowi jakieś ważne pismo, jakiś nadzwyczajny dokument. Tylko że na próżno czekałem, co wyciągnie z kieszeni, bo tego ruchu nie doprowadził jednak do końca. Ale też i nie całkiem zrezygnował, raczej jakby z nim utknął, zapomniał o nim, powiedziałbym, już niemal pod sam koniec zawiesił go w jakiś sposób. Później ręka poruszała się już tylko po zewnętrznej stronie kieszeni, macała, biegała, skrobała, była jak wielki pająk o rzadkim owłosieniu albo raczej potwór morski, który wciąż szuka szpary, żeby się dostać pod marynarkę. On sam natomiast przez cały czas mówił, a na jego twarzy malował się wciąż ten sam uśmieszek. Wszystko to trwało kilka sekund, mniej więcej. Potem zobaczyłem już tylko, że policjant bardzo szybko, z jakąś widoczną stanowczością, położył kres rozmowie, a nawet, jak mi się wydawało, o coś się na tamtego pogniewał; i rzeczywiście, choć właściwie niewiele z tego wszystkiego zrozumiałem, z jakiejś trudnej do wytłumaczenia przyczyny mnie też zachowanie tamtego wydawało się co nieco podejrzane.

Więcej twarzy czy wydarzeń już nie bardzo pamiętam. Zresztą, w miarę jak płynął czas, moje obserwacje stawały się coraz mniej ostre. Mogę jeszcze tylko powiedzieć, że dla nas, chłopaków, policjant był w dalszym ciągu bardzo uprzejmy. Natomiast wobec dorosłych jakby odrobinę mniej. Ale po południu on także wyglądał już na zmęczonego. I często chronił się przed upałem wśród nas lub w drugim pokoju, nie przejmując się przejeżdżającymi w tym czasie autobusami. Słyszałem, jak rozmawiał przez telefon i raz czy dwa mówił: – Wciąż jeszcze nic – ale już z nietajonym wyrazem niezadowolenia na twarzy. Pamiętam też inny moment. Było to wcześniej, wkrótce po południu: odwiedził go kolega, inny policjant, na rowerze. Oparł go na zewnątrz o ścianę budynku. Potem zamknęli się starannie w drugim pokoju. Wyszli stamtąd po dłuższym czasie. Na pożegnanie, stojąc w drzwiach, jeszcze długo ściskali sobie dłonie. Milczeli, ale kiwali głowami i patrzyli na siebie w taki sposób, jak widywałem to dawniej, jeszcze w kantorze mojego ojca, u kupców, kiedy już sobie ponarzekali na ciężkie czasy i marny handel. Jasne, rozumiałem, że to mało prawdopodobne w przypadku policjantów: a jednak wyraz ich twarzy przywiódł mi na myśl tamten obraz, to samo znajome, trochę zatroskane zniechęcenie i tę samą rezygnację w poczuciu niezmienności przeznaczenia. Ale zaczynałem już być zmęczony i z czasu, który nastąpił później, pamiętam tylko tyle, że było mi gorąco, nudziłem się i trochę chciało mi się spać.

Można powiedzieć, że minął cały dzień. Wreszcie przyszedł rozkaz, mniej więcej o czwartej, jak nam obiecał policjant. Powiedział, że teraz pójdziemy do

„jego zwierzchników", w celu przedstawienia im naszych dokumentów, tak nas poinformował. Rozkaz musiał otrzymać przez telefon, bo słyszeliśmy z jego pokoju odgłosy wskazujące, że coś się dzieje; wielokrotny, naglący dzwonek telefonu, potem policjant też się łączył i załatwiał jakieś krótkie sprawy. Poinformował nas, że choć nie powiedziano mu tego całkiem dokładnie, to jednak sądzi, że pewnie chodzi tylko o jakąś zwykłą formalność, przynajmniej w tak jasnych i niewątpliwych pod względem prawnym przypadkach, jak na przykład nasze.

Ustawione trójkami grupy ruszyły z powrotem w stronę miasta ze wszystkich okolicznych punktów granicznych jednocześnie, o czym przekonałem się podczas drogi. Przechodząc mianowicie przez most, na zakrętach czy skrzyżowaniach spotykaliśmy się z inymi grupami, które składały się z mniejszej lub większej liczby ludzi z żółtymi gwiazdami w asyście jednego czy dwóch, a nawet w jednym przypadku trzech policjantów. Jednej z tych grup towarzyszył znajomy policjant na rowerze. Zauważyłem też, że policjanci pozdrawiali się zawsze tak samo krótko, po służbowemu, jakby już z góry przewidywali te spotkania, i wówczas dokładniej zrozumiałem, co nasz załatwiał przez telefon: pewnie uzgadniali między sobą czas wymarszu. W końcu zdałem sobie sprawę, że idę w środku już całkiem pokaźnej grupy, a po obu stronach w rzadkich odstępach towarzyszą nam policjanci.

Szliśmy tak, zawsze jezdnią, dość długo. Było piękne, czyste letnie popołudnie, ulice wypełnione barwnym tłumem, jak zawsze o tej porze; ale ja widziałem to wszystko jakby odrobinę zatarte. Wkrótce też straciłem orientację, bo przechodziliśmy alejami i ulicami, które nie za bardzo znałem. A potem te wszystkie nowe miejsca, ruch, a zwłaszcza ociężałość, która zawsze w takich okolicznościach wiąże się z przemarszem zamkniętej kolumny, pochłonęły i wkrótce wyczerpały moją uwagę. Z całej tej długiej drogi pamiętam właściwie tylko jakąś pospieszną, wstydliwą, niemal ukradkową ciekawość ludzi na nasz widok (rzecz mnie z początku bawiła, ale potem już nie bardzo zwracałem na to uwagę), no i późniejszy, w pewnym sensie niejasny moment. Szliśmy właśnie jakąś szeroką, bardzo ruchliwą przedmiejską ulicą w napierającym zewsząd nieznośnie hałaśliwym strumieniu aut; nie wiem, jakim cudem wtłoczył się między nas tramwaj, pojawił się akurat tuż przede mną. Musieliśmy przystanąć na tę chwilę, kiedy przejeżdżał – i wtedy dostrzegłem nagły błysk żółtej wiatrówki w obłokach kurzu, hałasu i wyziewów spalin: to był Podróżny. Jeden długi skok i już zniknął gdzieś z boku, w tłumie ludzi i pojazdów. Zupełnie osłupiałem: to wszystko jakoś nie pasowało do jego zachowania w komorze celnej, jak mi się wydawało. Ale czułem też jednocześnie coś innego, powiedziałbym, jakieś pogodne zdziwienie prostotą tego czynu; i rzeczywiście, z przodu kolumny zobaczyłem zaraz kilku śmiałków, którzy rzucili się w ślad za nim. Sam też się rozejrzałem, choć właściwie tylko tak, dla zabawy, bo przecież nie widziałem żadnej przyczyny, żeby wiać – myślę, że miałbym dość czasu – potem jednak zwyciężyło moje poczucie honoru. Później policjanci się zakrzątnęli i kolumna znów zwarła się wokół mnie.

Szliśmy jeszcze przez pewien czas, a potem wszystko zaczęło się dziać bardzo szybko, niespodziewanie i trochę zaskakująco. Gdzieś skręciliśmy i zobaczyłem, że jesteśmy na miejscu, bo droga biegła dalej między otwartymi na oścież skrzydłami bramy. Dopiero wtedy zauważyłem, że na miejsce policjantów przyszli inni, w takich mundurach jak żołnierze, ale z pstrymi piórami przy czapkach z daszkiem: to byli żandarmi. Poprowadzili nas dalej poprzez labirynt budynków, coraz głębiej i głębiej, aż na wyłaniający się nagle, wysypany białymi kamykami ogromny plac – jak mi się wydawało, coś w rodzaju koszarowego dziedzińca. Jednocześnie zauważyłem wysoką postać o władczej powierzchowności. Mężczyzna ten zmierzał prosto ku nam od strony przeciwległego budynku. Nosił buty z cholewami i dopasowany mundur ze złotymi gwiazdkami i skośnie przecinającą pierś koalicyjką. W jednej ręce trzymał cienką szpicrutę, używaną do konnej jazdy, którą raz po raz uderzał w lśniącą lakierowaną cholewę. Po minucie, kiedy czekaliśmy już w nieruchomych szeregach, zauważyłem, że był na swój sposób piękny, wysportowany, miał męskie rysy, modnie przystrzyżony, ciemny wąsik, który bardzo pasował do jego opalonej twarzy, i w ogóle przypominał trochę bohaterów filmowych. Kiedy podszedł bliżej, komenda żandarmów usztywniła nas wszystkich. Zostały mi po tym tylko dwa, następujące szybko po sobie wrażenia: krzykliwy jak u przekupnia głos człowieka ze szpicrutą, który tak bardzo nie pasował do jego wykwintnej powierzchowności, że chyba właśnie dlatego nie zapamiętałem wiele z samych słów. Tyle jednak do mnie dotarło, że „śledztwo" - użył tego wyrażenia - w naszej sprawie ma zamiar przeprowadzić dopiero jutro, i zaraz potem zwrócił się do żandarmów, rozkazując im głosem wypełniającym cały plac, żeby zaprowadzili „tę żydowską bandę" tam, gdzie według niego jest jej miejsce, to znaczy do stajni, i zamknęli ją w niej na noc. Drugie wrażenie to straszliwy, głośny chaos spowodowany słowami komendy i wrzaskiem ożywionych nagle żandarmów, którzy nas zaganiali. W pierwszej chwili nie wiedziałem nawet, gdzie się obrócić, i pamiętam tylko tyle, że mimo wszystko trochę chciało mi się śmiać, po części ze zdumienia i zaskoczenia, bo czułem się tak, jakbym niespodziewanie znalazł się w jakiejś niedorzecznej sztuce teatralnej i niezbyt dokładnie znał swoją rolę, po części zaś z tego ulotnego obrazu, który tylko przemknął mi przez wyobraźnię: to była mina mojej macochy, kiedy sobie uprzytomni, że dziś wieczorem daremnie czeka na mnie z kolacją.

4

W pociągu najbardziej brakowało wody. Zapas żywności wydawał się wystarczający na dłuższy czas, tylko nie mieliśmy czym popijać i to było bardzo męczące. Współpasażerowie zaraz powiedzieli: pierwsze pragnienie szybko mija. Prawie o nim zapominamy, a wtedy pojawia się znowu, tyle że już nie daje o sobie zapomnieć, wyjaśniali. Sześć, siedem dni to jest ten czas, twierdzili eksperci, który człowiek, jeżeli tak trzeba, nawet w letnie upały wytrzyma bez wody, zakładając, że jest zdrowy, nie traci zbyt wiele potu i jeśli to możliwe, nie je mięsa ani przypraw. Na razie, zapewniali, mamy jeszcze czas; wszystko zależy od tego, jak długo potrwa droga, dodawali.

Rzeczywiście, sam byłem ciekaw: w cegielni nikt nam tego nie powiedział. Tylko tyle, że kto ma ochotę, może się zgłosić do pracy, i to do Niemiec. Pomysł, podobnie jak reszcie chłopaków i wielu innym w cegielni, wydał mi się godny uwagi. Zresztą członkowie Rady Żydowskiej, którzy mieli opaski na rękawach, stwierdzili, że tak czy inaczej, po dobroci lub pod przymusem, prędzej czy później wszystkich z cegielni i tak wywiozą do Niemiec, a pierwszym ochotnikom dostaną się lepsze miejsca i w dodatku pojadą po sześćdziesięciu w wagonach, podczas gdy później będą się musieli gnieść co najmniej w osiemdziesięciu z powodu niewystarczającej ilości składów, jak wszystkim tłumaczyli: naprawdę zatem nie bardzo jest się nad czym zastanawiać, musiałem przyznać sam.

Nie było też co kwestionować prawdziwości innych argumentów, tych o ciasnocie w cegielni, jej skutkach odczuwalnych na całym terenie, jak również o kłopotach z wyżywieniem: tak było, sam mogłem o tym zaświadczyć. Już kiedy przyszliśmy z żandarmerii (jak twierdzili niektórzy dorośli, były to koszary Andrássyego), każdy kąt cegielni był zapchany ludźmi. Byli wśród nich mężczyźni i kobiety, dzieci w różnym wieku i niezliczony tłum starców obojga płci. Gdziekolwiek stąpnąłem, potykałem się o koce, plecaki, rozmaite walizki, tobołki, tłumoczki. Wszystko to, a także liczne drobne utrapienia, przykrości i nieprzyjemności, które jak widać, wiążą się z takim wspólnym życiem, mnie też szybko wyczerpały, oczywiście. Do tego dołączała się jeszcze bezczynność, głupie uczucie bezruchu, no i nuda; dlatego z pięciu dni, które tu spędziłem, nie przypominam sobie właściwie żadnego z osobna, a w ogóle zaledwie jakieś szczegóły. Na przykład, że były tam ze mną chłopaki: Rozi, Jedwabny Chłopiec, Kaletnik, Palacz, Moskovics i wszyscy inni. Miałem wrażenie, że żadnego nie brakuje; oni wszyscy byli w porządku. W cegielni niewiele już miałem do czynienia z żandarmami: widywałem ich tylko na warcie za ogrodzeniem, tu i ówdzie razem z policjantami. O policjantach mówiło się w cegielni, że są lepsi od żandarmów i nawet zdarzają się ludzcy, że można się z nimi dogadać za pieniądze czy też jakiekolwiek inne walory. Przede wszystkim, jak słyszałem, zgadzali się przekazywać listy lub wiadomości, a nawet, o czym niektórzy byli przekonani, umożliwiali czasami – wprawdzie, dodawali, były to okazje rzadkie i ryzykowne – ucieczkę; trudno byłoby dowiedzieć się o tym czegoś całkiem konkretnego. Ale wówczas przypomniałem sobie człowieka podobnego do foki i prawie zrozumiałem, o czym tak bardzo chciał rozmawiać z policjantem w komorze celnej. Wtedy zrozumiałem też, że nasz policjant był uczciwy. Świadczył o tym fakt, że snując się po podwórzu cegielni lub wyczekując na swoją kolej w pobliżu kuchni, w tłumie obcych twarzy raz czy dwa rozpoznałem foczą twarz tamtego.

Spotkałem też Pechowca, który był w komorze celnej: często przesiadywał wśród nas, wśród „młodzieży", aby „trochę się rozweselić", jak mówił. Musiał sobie widocznie znaleźć legowisko gdzieś blisko nas, w którejś z licznych jednakowych budowli na podwórzu; miały kryte gontem dachy, ale brakowało im ścian i jak słyszałem, służyły pierwotnie do suszenia cegły. Wyglądał na nieco zmęczonego, z pstrymi plamami opuchlizny i obtarć na twarzy, i dowiedzieliśmy się od niego, że to ślady przesłuchania na żandarmerii. Znaleźli mianowicie w jego plecaku lekarstwa i żywność. Daremnie próbował wyjaśniać: to wszystko z dawnych zapasów i tylko dla chorej matki, oskarżono go, że na pewno handluje tym na czarnym rynku. Na nic mu się nie zdała przepustka, nie pomogło i to, że zawsze szanował prawo i nigdy nie naruszył żadnej jego litery, jak opowiadał. – Słyszeliście coś? Co z nami będzie? – pytał. Mówił też znowu o swojej rodzinie, no i o pechu. Ile on się nachodził za tą przepustką i jak się nią cieszył, wspominał, kręcąc z goryczą głową; nigdy by nie uwierzył, że „tak się to wszystko skończy". Przez głupie pięć minut. Gdyby nie miał pecha... Gdyby wtedy autobus..., powtarzał. Natomiast z kary wydawał się całkiem zadowolony. – Zostałem im na sam koniec i to chyba było moje szczęście – opowiadał. – Wtedy już się spieszyli. – W rezultacie „mogło się dla niego gorzej skończyć", podsumował, dodając, że na żandarmerii „widział też gorsze rzeczy", i to była prawda, sam pamiętam. Niech nikt nie sądzi, ostrzegli nas przed południem w dniu śledztwa żandarmi, że mu się uda ukryć przed nami winę, pieniądze, złoto czy inne wartościowe przedmioty. Ja też, kiedy przyszła moja kolej, musiałem położyć na stole pieniądze, zegarek, scyzoryk i wszystko inne. Rosły żandarm fachowo, szybkimi ruchami obmacał mnie od pach po nogawki krótkich kalesonków. Za stołem zobaczyłem porucznika, o którym wiedzieliśmy już z rozmów żandarmów, że naprawdę nazywa się Szakal. Po jego lewej ręce siedział olbrzymi żandarm o sumiastych wąsach i muskulaturze rzeźnika, trzymający w ręce jakiś walcowaty przedmiot, który wydał mi się trochę śmieszny, jako że przypominał wałek do ciasta. Porucznik był całkiem przyjacielski; zapytał, czy mam dokumenty, choć potem nic po nim nie zauważyłem, nawet żadnego błysku zrozumienia dla mojej legitymacji. Zdziwiłem się, ale – przede wszystkim ze względu na przynaglający do odejścia i wyrażający niedwuznaczną groźbę w przypadku nieposłuszeństwa gest żandarma z sumiastym wąsem – uznałem, że mądrzej będzie niczego nie kwestionować, co było samo przez się zrozumiałe.

Potem żandarmi wyprowadzili nas wszystkich z koszar i najpierw wepchnęli do osobnego tramwaju, nad Dunajem zapakowali na statek, potem poprowadzili kawałek piechotą – i tak oto znalazłem się w cegielni, a dokładniej, jak się dowiedziałem już na miejscu, w Cegielni Budakalasz.

Słyszałem później, po południu, jeszcze dużo różności o tej drodze. Wszędzie byli ludzie w opaskach i chętnie odpowiadali na wszystkie pytania. Szukali przede wszystkim młodych, chętnych do pracy i samotnych. Zapewniali, jak słyszałem, pytających, że znajdzie się także miejsce dla kobiet, dzieci i starców, no i można zabrać ze sobą wszystkie rzeczy. Ale najważniejsze pytanie według nich brzmiało: czy załatwimy tę sprawę między sobą i możliwie po ludzku, czy też zaczekamy, aż zadecydują za nas żandarmi. Wyjaśnili bowiem, że transport w każdym razie musi odjechać i jeśli liczba chętnych na ich listach będzie niewystarczająca, wówczas wyznaczą nas żandarmi; rzeczywiście większość, podobnie jak ja, uważała, że niewątpliwie lepiej wyjdziemy na pierwszym rozwiązaniu.

Zaraz też dotarły do moich uszu rozmaite opinie o Niemcach. Wiele osób, zwłaszcza starszych, doświadczonych, twierdziło, że Niemcy, jakiekolwiek byłoby ich zdanie o Żydach, są w istocie – co zresztą każdy wie – ludźmi czystymi, uczciwymi, pracowitymi, lubiącymi ład i dokładność, i potrafią uszanować te cechy także u innych; odpowiadało to z grubsza moim wiadomościom i pomyślałem, że na pewno mi się przyda, iż w gimnazjum liznąłem co nieco ich języka. Przede wszystkim jednak po pracy mogłem się spodziewać uporządkowanego życia, skończenia z nudą, nowych wrażeń, jakichś żartów: egzystencji sensowniejszej i przyjemniejszej niż ta w cegielni, tak jak nam obiecywano i jak to sobie wyobrażaliśmy z chłopakami, a poza tym przyszło mi też do głowy, że mógłbym w ten sposób zobaczyć kawałek świata. I prawdę mówiąc, kiedy myślałem o niektórych wydarzeniach ostatnich dni: o żandarmerii, a zwłaszcza o mojej legitymacji i w ogóle o sprawiedliwości, to dochodziłem do wniosku, że nie trzymała mnie tu nawet specjalnie miłość do ojczyzny, jeśli nawet uwzględniałem to uczucie.

Byli też bardziej podejrzliwi, którzy mieli inne informacje i przypisywali Niemcom inne cechy, i tacy, którzy prosili o jakąś radę, a także ci, którzy opowiadali się raczej za głosem rozsądku niż kłótniami, za przykładnością, za godną postawą wobec władzy – i o tych wszystkich argumentach i kontrargumentach, i jeszcze innych licznych informacjach dyskutowano bez końca wokół mnie na podwórzu, w mniejszych czy większych, rozpadających się, potem znów zbijających grupkach. Między innymi wspominano też o Bogu, o „Jego niezbadanej woli", jak to ktoś sformułował. Tak jak niegdyś wujek Lajos, ten ktoś też mówił o żydowskim losie i tak samo jak wujek Lajos twierdził, że „odeszliśmy od Boga", i tym należy tłumaczyć spadające na nas plagi. Mnie jednak trochę zainteresował, gdyż był to człowiek o silnej osobowości i takiejż posturze, z jakąś niezwykłą twarzą: cienki, ale wielkim łukiem zakrzywiony nos, bardzo błyszczące oczy o zamglonym spojrzeniu, piękne, szpakowate wąsy i schodząca się z nimi, przystrzyżona na okrągło broda. Widziałem, jak ludzie go otaczają, ciekawi tego, co mówił. Potem zorientowałem się, że to kapłan, bo słyszałem, że nazywano go rabinem. Zapamiętałem kilka jego ciekawszych słów czy zdań, na przykład ten fragment, gdzie dopuścił możliwość, „byśmy tu na ziemi mogli dyskutować o surowości wyroku", bo do tego ustępstwa zmusza go „oko, które widzi, i serce, które czuje"; tu jego zazwyczaj czysty, donośny głos się załamał i rabin zamilkł na chwilę, jego oczy zamgliły się bardziej niż zwykle; nie wiem, dlaczego doznałem dziwnego uczucia, że miał chyba zamiar powiedzieć co innego i jego samego zaskoczyły te słowa. Ale jednak kontynuował i jak wyznał, „nie chciał się łudzić". Dobrze wie – wystarczy się rozejrzeć „po tym bolesnym miejscu i po tych umęczonych twarzach", tak powiedział, i nawet zdziwiła mnie jego litość, w końcu on sam też tu był, by to pojąć – jak trudne stoi przed nim zadanie. Ale nie cel, bo nie musi „pozyskiwać dusz dla Wiekuistego", przecież wszystkie nasze dusze pochodzą od Niego, powiedział. Poza tym nakazał nam wszystkim: – Nie oskarżajcie Boga! – i to nawet nie z tego powodu, że byłby to grzech, tylko że ta droga prowadziłaby do „negacji wzniosłości sensu życia", a „z tą negacją w sercu" nie można według niego żyć. Może i takie serce jest lekkie, ale tylko dlatego, że jest ono także puste jak pustynia, powiedział; trudną zaś, ale jedyną drogą pociechy jest widzieć nawet pod ciosami nieskończoną mądrość Wiekuistego, bo, ciągnął dosłownie: „nadejdzie minuta Jego zwycięstwa i będą w skrusze wołali do Niego z pyłu, którzy zapomnieli o Jego potędze". On więc już teraz nam mówi, byśmy wierzyli w nadejście Jego ostatecznej łaski („i ta wiara niech nam się stanie podporą i wiecznym źródłem naszej siły w godzinie próby"), bo jest to jedyny sposób, byśmy w ogóle mogli żyć. I nazwał ten sposób „negacją negacji", bez nadziei bowiem

„będziemy zgubieni", nadzieję zaś możemy czerpać jedynie z wiary i z tej niezachwianej pewności, że Pan zlituje się nad nami i zyskamy Jego łaskę. Ta argumentacja, musiałem przyznać, wydawała się zrozumiała, zauważyłem jednak, że nie powiedział na końcu, co dokładnie powinniśmy w tym celu czynić, i nie udzielił też konkretnej rady tym, którzy chcieli znać jego zdanie: zgłosić się już teraz na wyjazd czy też raczej jeszcze zostać? Widziałem też Pechowca, nawet nie raz; pojawiał się to przy jednej grupce, to znów przy drugiej. Zwróciłem uwagę, że jednocześnie niespokojne spojrzenie jego małych, jeszcze trochę podsinionych oczek wciąż niestrudzenie biegało po innych grupkach i innych ludziach. I kilka razy usłyszałem też jego głos, kiedy zatrzymując ludzi, wyłamując i pocierając palce, z badawczą miną wypytywał ich w napięciu: „Przepraszam, wyjeżdżacie?", „Dlaczego?", „Myślicie, jeśli wolno spytać, że tam będzie lepiej?"

Wtedy właśnie nadszedł – jak sobie przypominam – inny znajomy z komory celnej: Ekspert. Nawiasem mówiąc, w ciągu spędzonych w cegielni dni widziałem go już kilkakrotnie. Choć miał zmięty garnitur, znikł gdzieś krawat, a policzki pokrywał mu szary zarost, i tak było po nim widać niezaprzeczalne ślady dawnej szacownej powierzchowności. Jego przybycia trudno było nie zauważyć, bo zaraz otoczył go krąg zdenerwowanych ludzi i ledwie mógł podołać tym wszystkim pytaniom, którymi go zarzucali. Jak mianowicie i ja się

wkrótce dowiedziałem, udało mu się osobiście porozmawiać z pewnym niemieckim oficerem. Do tego
zdarzenia doszło w pobliżu biur dowództwa, żandarmerii i innych organów śledczych, gdzie kilkakrotnie sam widziałem szybko ukazujące się lub znikające
niemieckie mundury. Przedtem – jak zrozumiałem –
próbował też z żandarmami. Chodziło mu o to, jak
powiedział, by „nawiązać kontakt ze swoim przed-
siębiorstwem". Ale zaraz się dowiedzieliśmy, że żandarmi „konsekwentnie odmawiają" mu tego prawa,
choć to przecież „zakład, który produkuje dla potrzeb
wojennych", „kierowanie produkcją bez niego jest
wręcz niewyobrażalne", czego nie negują nawet wła-
dze, choć na żandarmerii „ograbiono go" zarówno ze
świadczącego o tym dokumentu, jak i z wszystkich innych; jego słowa docierały do mnie piąte przez dzie-
siąte, bo mówił urywanymi zdaniami, odpowiadając
przy tym na liczne, krzyżujące się pytania. Wyglądał na
bardzo wzburzonego. Ale, zauważył, „nie ma zamiaru
wdawać się w szczegóły". Właśnie dlatego zwrócił się do
niemieckiego oficera. Oficer akurat wychodził. Przypadkowo, dowiedzieliśmy się, on też wtedy znajdował
się w tym miejscu. – Zastąpiłem mu drogę – oznajmił.
Wydarzenie miało licznych świadków, którzy wspo-
minali o jego odwadze. Ale on, wzruszając ramionami,
powiedział tylko, że bez ryzyka do niczego się nie
dojdzie i że on za wszelką cenę chciał w końcu
porozmawiać „z kimś kompetentnym". – Jestem

inżynierem – powiedział do oficera. – Rzecz jasna, znakomitą niemczyzną – dodał. Opowiedział mu o wszystkim. Poinformował go, że „pod względem moralnym, a także faktycznie uniemożliwiono mu pracę", „bez żadnego powodu i podstawy prawnej, nawet według obowiązujących obecnie przepisów". – I co komu z tego przyjdzie? – zadał pytanie niemieckiemu oficerowi. Powiedział mu, jak nam teraz relacjonował: – Nie chodzi mi o korzyści ani przywileje. Ale jestem kimś i na czymś się znam: chciałbym pracować zgodnie z moim wykształceniem i tylko o to mi chodzi. – Od oficera otrzymał radę, żeby się zapisał na wyjazd. Nie złożył mi, rzekł, żadnej „nadzwyczajnej obietnicy", ale zapewnił, że Niemcy, które obecnie mobilizują wszystkie swe siły, potrzebują każdego, zwłaszcza ludzi z takim przygotowaniem. Dlatego też wyczuwa, dowiedzieliśmy się, „obiektywizm" oficera i uważa to, co mówił, za „właściwe i realne", jak się wyraził. Wspomniał też osobno o „manierach" oficera; w przeciwieństwie do „grubiaństwa" żandarmów opisał je jako „rozsądne, umiarkowane i w każdym calu nienaganne". Odpowiadając na jakieś pytanie, przyznał, że „oczywiście nie ma żadnej innej gwarancji" niż wrażenie po rozmowie z oficerem; ale, rzekł, na razie musi się tym zadowolić i nie sądzi, by się mylił. – Zakładając – dodał jeszcze – że nie zawodzi mnie moja znajomość ludzi – ale powiedział to w taki sposób, że przynajmniej ja uważałem tę ewentualność za całkiem nieprawdopodobną.

Kiedy odszedł, ujrzałem nagle Pechowca; wyskoczył jak na sprężynach z grupki ludzi i popędził na ukos za tamtym, mówiąc dokładniej, tak aby znaleźć się przed nim. Z jego wyraźnego podniecenia i wyrazu determinacji na twarzy wywnioskowałem: no, tym razem już go zaczepi, nie tak jak w komorze celnej. On jednak w pośpiechu wpadł na zdążającego akurat w tamtą stronę z listą i ołówkiem w ręku rosłego i korpulentnego człowieka w opasce. Ten zaraz go odepchnął, cofnął się, zmierzył go spojrzeniem, pochylił się i o coś zapytał – i potem już nie wiem, co się stało, bo akurat Rozi krzyknął: – Nasza kolej!

Dalej pamiętam tylko tyle, że kiedy szliśmy z chłopakami do naszej kwatery, był dziwnie spokojny, czerwieniejący nad wzgórzami letni zmierzch tego ostatniego dnia. Po przeciwnej stronie, bliżej rzeki, widziałem nad drewnianym ogrodzeniem przemykające dachy wagonów lokalnego pociągu; byłem zmęczony, no i po tym, kiedy się już zgłosiłem, rzecz jasna, także trochę ciekawy. Chłopaki bez wyjątku sprawiali wrażenie zadowolonych. Jakoś wkręcił się między nas Pechowiec i powiedział z niemal uroczystą, choć zarazem niepewną miną, że on też jest na liście. Pochwaliliśmy go i widziałem, że sprawiło mu to przyjemność – ale potem nie bardzo go już słuchałem. Tu, na samym skraju cegielni, było ciszej. Choć także tutaj widziałem naradzające się mniejsze grupki – jedni szykowali się do snu, inni jedli kolację, pilnowali swoich manatków lub zwyczajnie siedzieli w milczeniu. Mijaliśmy właśnie jakieś małżeństwo. Spotykałem ich często i dobrze znałem z widzenia. Niska, krucha, o delikatnych rysach twarzy żona i chudy, stale zaaferowany, stale w gotowości, stale z kroplami potu na czole mąż, w okularach i z brakami w uzębieniu. Teraz też był bardzo zajęty: przykucnąwszy na ziemi, w wielkim pośpiechu przy pomocy żony zbierał i spinał rzemieniem wszystkie ich pakunki w jeden, i wydawał się pochłonięty tylko tą pracą, niczym innym. Ale Pechowiec zatrzymał się za nim i widocznie też musiał go znać, bo po minucie zapytał: czy to znaczy, że oni także zdecydowali się na wyjazd? Wtedy tamten też tylko na moment zerknął za siebie spod okularów, mrugając oczami, spocony, zmęczony nawet przedwieczornym słońcem, ze ściągniętą twarzą, i w odpowiedzi zadał to jedno zdziwione pytanie: – Przecież trzeba jechać, nie? – I to wydało mi się całkiem proste i w konsekwencji prawdziwe.

Nazajutrz wyprawili nas w drogę wczesnym rankiem. Było cudowne lato, kiedy pociąg ruszył sprzed bramy, z torów lokalnej kolejki – wagony towarowe o ceglastych, zamkniętych dachach i drzwiach. Jechało nas sześćdziesięciu z paczkami i prowiantem od ludzi w opaskach: stosami chleba i dużymi konserwami mięsnymi; po cegielni wydawało się to prawdziwym rarytasem, nie ma co. Zwróciłem uwagę, że już od wczoraj traktowano wyjeżdżających uprzejmie, ze szczególnymi względami, można by powiedzieć, nieomal z szacunkiem, i wydawało mi się, że to bogactwo musiało być zapewne częścią nagrody. Byli tam też żandarmi z karabinami, opryskliwi, zapięci na ostatni guzik – jakby pilnowali chodliwego towaru, nie śmiąc go ruszyć, i pomyślałem, że to na pewno z powodu wyższej władzy: Niemców. Potem zasunęli za nami drzwi, słyszałem, jak czymś w nie stukali, później sygnały, gwizdy, krzątanina kolejarzy, szarpnięcie – ruszyliśmy. Rozlokowaliśmy się z chłopakami wygodnie w pierwszej części wagonu, którą zajęliśmy zaraz na początku, po obu stronach znajdowały się umieszczone dość wysoko i starannie okratowane drutem kolczastym okienka. Wkrótce jednak w naszym wagonie wyłonił się problem wody, a wraz z nim nasuwało się też natychmiast pytanie, jak długo potrwa ta droga.

Poza tym niewiele mogę powiedzieć o całej podróży. Podobnie jak w komorze celnej czy później w cegielni, w pociągu też trzeba było czymś zabić czas. Tu było to trudniejsze, ze względu na warunki. Ale świadomość celu, myśl, że każdy odcinek drogi, jeśli nawet przejechany tak powoli, wlokącym się, przetaczanym, zatrzymującym się na długo w polu pociągiem przybliża nas w końcu do niego, pomagała pokonać zmartwienia i kłopoty. Nie traciliśmy cierpliwości. Rozi dodawał nam otuchy: droga potrwa tylko, dopóki nie dojedziemy. Przekomarzali się też z Jedwabnym Chłopcem z powodu pewnej panienki – która, jak twierdzili inni – była tu z rodzicami i którą poznał jeszcze w cegielni, on zaś, zwłaszcza na początku, często znikał w głębi wagonu i mówiło się na ten temat wśród chłopaków wiele różności. Był także Palacz; nawet tu wyciągał z kieszeni jakieś podejrzane sproszkowane śmiecie, kawałki papieru i zapałki, nad których płomieniem jego twarz pochylała się z zachłannością drapieżnego ptaka, niekiedy nawet nocą. Od Moskovicsa (któremu z czoła spływały nieustannie na okulary, tępy nos i mięsiste wargi strumienie potu i sadzy – jak zresztą nam wszystkim, mnie też, oczywiście) i od wszystkich innych jeszcze nawet trzeciego dnia słyszałem jakieś wesołe słowa czy uwagi, a Kaletnik, choć z trudem poruszał wargami, opowiadał ospale dowcipy. Nie mam pojęcia, jakim cudem udało się niektórym dorosłym wywiedzieć, że celem naszej podróży jest miejscowość o nazwie Waldsee – jeśli chciało mi się pić, jeśli było mi gorąco, obietnica, jaką niosła sama ta nazwa, przynosiła natychmiastową ulgę. Tym, którzy narzekali na ciasnotę, zaraz ktoś zwracał uwagę, i słusznie: pamiętajcie, następni pojadą w osiemdziesiątkę. W istocie, jak się dobrze zastanowić, byłem już w gorszej ciasnocie: na przykład w koszarowej stajni, gdzie udało nam się rozlokować tylko w taki sposób, że każde z nas siedziało na ziemi po turecku. W pociągu siedziało mi się wygodniej. A jeśli miałem ochotę, mogłem wstać i nawet zrobić kilka kroków - na przykład do wiadra: to mianowicie znajdowało się w prawym tylnym rogu wagonu. Na początku postanowiliśmy, że w miarę możliwości będziemy z niego korzystali tylko z mniejszą potrzebą. Ale w miarę jak płynął czas, wielu z nas w końcu pojęło, że prawa natury są jednak silniejsze od obietnicy i musimy się do nich stosować, zarówno my, chłopcy, jak i mężczyźni, a także kobiety.

Żandarm też nie przysparzał nam większych kłopotów. Najpierw trochę się go przestraszyłem: pierwszego wieczoru lub raczej nocy podczas jakiegoś dłuższego postoju całkiem niespodziewanie w okienku po lewej stronie, tuż nad moją głową ukazała się jego twarz i jeszcze poświecił do środka latarką. Ale szybko się wyjaśniło, że ma dobre zamiary. - Ludzie - chciał tylko przekazać nam tę dobrą nowinę - jesteście na węgierskiej granicy! - Z tej okazji zwrócił się do nas z apelem, można powiedzieć, prośbą. Życzył sobie, aby mu oddać pieniądze czy inne walory, jeśli coś jeszcze komuś zostało. - Tam gdzie jedziecie - zauważył - nie będą wam już potrzebne. - A to, co zachowamy przy sobie, i tak nam odbiorą Niemcy, zapewniał. - Więc - ciągnął dalej w okiennej szczelinie - czemu nie miałyby się raczej dostać w węgierskie ręce? - I po krótkiej pauzie, która wydawała mi się jakoś uroczysta, dodał jeszcze cieplejszym, nagle bardzo intymnym, w jakiś sposób pogrążającym wszystko w zapomnieniu, wszystko wybaczającym tonem: – Przecież w końcu wy też jesteście Węgrami! – Czyjś głos, głęboki głos mężczyzny gdzieś z wnętrza wagonu, po szeptach, odgłosach narady: rzeczywiście, argument jest do przyjęcia, zakładając, że dostaniemy od żandarma w zamian wodę, ten zaś wydawał się skłonny zaakceptować ów warunek, choć, jak powiedział, „wbrew zakazowi". Potem jednak nie doszli do porozumienia, bo głos żądał najpierw wody, żandarm natomiast chciał mieć najpierw w ręku kosztowności i żaden z nich nie ustąpił. Wreszcie żandarm bardzo się rozgniewał: – Parszywe żydłaki, dla was nawet najświętsza sprawa to tylko interes! – oznajmił. I dławiąc się z gniewu i nienawiści, życzył nam jeszcze: – To sobie pozdychajcie bez wody! – później zresztą i to się zdarzyło, przynajmniej tak mówiono w naszym wagonie. Fakt, sam słyszałem głos dochodzący z wagonu za nami: nie był zbyt przyjemny. Staruszka, jak do nas dotarło, była chora i prawdopodobnie oszalała, niewątpliwie z pragnienia. Wydawało się to możliwe. Dopiero teraz zrozumiałem, ile racji mieli ci z nas, którzy zaraz na początku podróży stwierdzili: mamy dużo szczęścia, że w naszym wagonie nie ma ani małych dzieci, ani starców, ani wyglądających na chorych. Trzeciego dnia przed południem staruszka ostatecznie umilkła. Wtedy ktoś u nas powiedział: „Umarła, bo nie dostała wody". Ale wiedzieliśmy: była stara i chora, i w rezultacie wszyscy, ja też, uznaliśmy ten przypadek za zrozumiały.

Twierdzę, że wyczekiwanie nie sprzyja radości – tak przynajmniej było ze mną, kiedy wreszcie naprawdę zajechaliśmy na miejsce. Może byłem zmęczony, a może ta gorliwość, z jaką czekałem na cel, sprawiła, że w końcu o nim zapomniałem: byłem z jakiegoś powodu obojętny. Trochę przegapiłem całe wydarzenie. Pamiętam, że obudziłem się nagle na obłąkane wycie znajdujących się gdzieś blisko syren; blade światło sączące się z zewnątrz sygnalizowało świt czwartego już dnia. Pociąg znowu stał, co się zdarzało często, zawsze zaś w przypadku alarmu lotniczego. Okienka były zajęte, jak normalnie w takich razach. Po pewnym czasie ja też się dopchałem. Nic nie zobaczyłem. Świt za okienkiem był chłodny i pachnący, nad szerokimi polami szare mgły, potem niespodziewanie, jak głos trąbki, pojawił się gdzieś spoza nas ostry, czerwony promień i zrozumiałem: to wschód słońca. Był piękny i nadzwyczaj interesujący; w domu o tej porze zawsze jeszcze spałem. Tuż przed sobą, po lewej stronie zauważyłem jakiś budynek, może była to stacyjka na skraju świata, a może zaczynał się tu jakiś większy dworzec. Był mały, szary i całkiem wyludniony, z zamkniętymi okienkami i z takim zabawnie spadzistym dachem, jakie już wczoraj widywałem w tej okolicy; utrwaliły mi się w oczach w mglistym świtaniu jego kontury, potem z szarych stały się fioletowe i jednocześnie rozbłysły rdzawo okienka, kiedy padły na nie pierwsze promienie. Inni też zauważyli budynek, ja zaś opisałem go tym, co stali za mną. Pytali, czy nie widzę na nim nazwy miejscowości. Widziałem, i to nawet dwa słowa, w świetle wstającego dnia, na węższej, przeciwległej do naszego kierunku jazdy ścianie, niemal pod dachem: „Auschwitz-Birkenau" – przeczytałem nazwę wypisaną strzelistymi, ozdobnymi literami Niemców, z podwójnie falistym łącznikiem. Ale daremnie próbowałem jej szukać wśród moich geograficznych wiadomości, inni też nie wydawali się lepiej zorientowani. Potem usiadłem, gdyż stojący za mną tak samo chcieli popatrzeć, a ponieważ było jeszcze wcześnie i chciało mi się spać, wkrótce ponownie zasnąłem.

Obudził mnie ruch i podniecenie. Na zewnątrz słońce świeciło już pełnym blaskiem. Pociąg znów jechał. Pytałem chłopaków, gdzie jesteśmy, i powiedzieli, że wciąż w tym samym miejscu, właśnie w tej chwili ruszyliśmy dalej; zatem, jak się wydaje, musiało mnie obudzić szarpnięcie. Ale nie ulega wątpliwości, dodali, że przed nami są fabryki i coś w rodzaju osady. Minutę później stojący przy okienku zasygnalizowali, i sam się połapałem po przelotnej zmianie światła, że przejechaliśmy pod łukiem jakiejś bramy. Po następnej minucie pociąg zatrzymał się i wówczas ci przy okienku poinformowali nas w wielkim podnieceniu, że widzą stację, żołnierzy, ludzi. I zaraz zaczęli się zbierać, zapinać, niektórzy gorliwie doprowadzali się do ładu, a kobiety czesały się i upiększały. Z zewnątrz natomiast dochodziło zbliżające się postukiwanie w wagony, skrzypienie drzwi, zlewający się gwar wysypujących się z pociągu ludzi i teraz sam musiałem przyznać, że naprawdę przybyliśmy do celu. Cieszyłem się, naturalnie, ale czułem, że jakoś inaczej, niżbym się cieszył, powiedzmy, jeszcze wczoraj lub przedwczoraj. Potem uderzono narzędziem także w nasz wagon i ktoś, a raczej ktosie odsunęli ciężkie drzwi.

Najpierw usłyszałem ich głosy. Mówili po niemiecku lub w jakimś podobnym języku, wydawało się, że wszyscy naraz. Jeśli mogłem zrozumieć, życzyli sobie, żebyśmy wysiedli. Zamiast tego jednak to oni wtłoczyli się między nas; z początku nic nie widziałem. Ale już poszła wieść: walizki i pakunki zostają. Później – wyjaśniali, tłumaczyli i ta wieść przechodziła wokół mnie z ust do ust – każdy otrzyma z powrotem swoją własność, najpierw jednak bagaż czeka dezynfekcja, a nas kąpiel: rzeczywiście, najwyższy czas, doszedłem do wniosku. Potem obcy znaleźli się w tłumie bliżej mnie i wreszcie ich zobaczyłem. Byłem bardzo zaskoczony, w końcu po raz pierwszy w życiu widziałem – przynajmniej z tak bliska – prawdziwych więźniów, w pasiastych kurtkach przestępców, z ostrzyżonymi do skóry włosami i w okrągłych czapkach. Odsunąłem się od nich odrobinę, oczywiście. Jedni odpowiadali na pytania, inni rozglądali się po wagonie, jeszcze inni z wprawą tragarzy zaczęli już wyładowywać bagaże, wszystko to z jakąś osobliwą, lisią zwinnością. Na piersi każdy z nich, poza normalnym u więźnia numerem, miał żółty trójkąt i choć, rzecz jasna, nietrudno było rozszyfrować znaczenie tego koloru, odrobinę mnie to jednak zaskoczyło: w drodze prawie zapomniałem o tej sprawie. Ich twarze też nie budziły zaufania: odstające uszy, sterczące nosy, wpadnięte, małe, chytrze błyszczące oczka. Wyglądali naprawdę na Żydów, pod każdym względem. Wydali mi się podejrzani i zupełnie obcy. Kiedy zobaczyli nas, chłopaków, całkiem wyraźnie się podniecili. Zaraz zaczęli pospiesznie szeptać i wtedy dokonałem zdumiewającego odkrycia, że język żydowski to nie tylko hebrajski, jak dotychczas sądziłem: – *Redst du jidysz, redst du jidysz, redst du jidysz?* – zrozumiałem wreszcie ich pytanie. Odpowiedzieliśmy im: – *Nejn.* Widziałem, że nie byli z tego zadowoleni. Wtedy, co z łatwością zrozumiałem na podstawie mojej znajomości niemieckiego, zaciekawili się nagle naszym wiekiem. Mówiliśmy: *Vierzehn, fünfzehn*, zgodnie z prawdą. Natychmiast zaprotestowali, rękami, głowami, całym ciałem: – *Zechcn* – szeptali ze wszystkich stron. – *Zechcn.* – Zdziwiłem się i zapytałem jednego z nich: – *Warum?* – *Willst du arbeiten?* – czy chcę pracować, zapytał, wpijając we mnie puste spojrzenie okolonych zmarszczkami oczu. Powiedziałem mu: – *Natürlich.* – Naturalnie, przecież w końcu, jak pomyśleć, po to tu przyjechałem. Na co on nie tylko chwycił mnie za ramię żółtą, kościstą, twardą ręką, ale jeszcze mocno mną potrząsnął i powtórzył: w takim razie *zechcn... fersztejst du?... zechcn!...* Widziałem, że jest zły, a poza tym odniosłem wrażenie, że ta sprawa jest dla niego bardzo ważna, więc omówiwszy ją naprędce z chłopakami, trochę rozśmieszony, zgodziłem się: mogę mieć i szesnaście. Dalej, ma nie być wśród nas – mówcie, co chcecie, niezależnie od prawdy – rodzeństwa, a zwłaszcza – ku memu wielkiemu zdumieniu – bliźniaków; przede wszystkim jednak: *jeder arbeiten, nist kajn mide, nist kajn krenk.* Tyle się od nich dowiedziałem, i to w ciągu tych dwóch, może nawet niepełnych minut, kiedy przepychałem się w tłumie z mojego miejsca do drzwi, z których wreszcie wyskoczyłem w słoneczny blask, na świeże powietrze.

Najpierw ujrzałem ogromny teren, który wydał mi się nizinny. I zaraz też trochę oślepłem od tej niespodziewanej przestrzeni, od kłującego w oczy jednakowo białego blasku nieba i tej płaszczyzny. Nie miałem czasu się rozglądać – wokół mnie tłum, gwar, słowa, strzępy wydarzeń, zarządzenia. Z kobietami, usłyszałem, musimy się teraz na krótko pożegnać, przecież w końcu nie mogą się kąpać razem z wami pod jednym dachem; na starych, chorych, kobiety z małymi dziećmi i na wyczerpanych drogą natomiast czekają nieco dalej samochody. Wszystko to podali nam do wiadomości następni więźniowie. Zauważyłem jednak, że tu mają już na wszystko oko niemieccy żołnierze w zielonych czapkach, z zielonymi kołnierzami, wymownie pokazujący rękami kierunek: trochę mi ulżyło na ich widok, bo jedynie oni, schludni i czyści, promieniowali w tym bałaganie stanowczością i spokojem. Zaraz też usłyszałem, co mówią dorośli, i zgadzałem się z ich przestrogami: starajmy się iść im na rękę, zredukować pytania i pożegnania, zachowywać się rozsądnie, nie prezentować się Niemcom jak motłoch. Z tego, co było dalej, trudno byłoby mi zdać sprawę – jakiś bulgoczący niczym kasza w garnku, wirujący strumień niósł mnie, rzucał, porywał ze sobą. Kobiecy głos za moimi plecami wykrzykiwał coś bezustannie o jakiejś „torbie", którą kobieta zabrała z sobą. Przede mną zaś plątała się pod nogami staruszka o niechlujnym wyglądzie i słyszałem, jak niski młody człowiek przemawia do niej: – Zgódź się, mamo, przecież wkrótce i tak się spotkamy. *Nicht war, Herr Offizier* – zwrócił się z poufałym, w jakimś sensie solidaryzującym się uśmiechem dorosłych do niemieckiego żołnierza, który wydawał właśnie jakieś dyspozycje – *wir werden uns bald wieder...* – I już zwróciłem uwagę na straszliwy wrzask chłopczyka o brudnych, kędzierzawych włosach, ubranego niczym manekin z wystawy, który szarpiąc się i wijąc, próbował wyrwać rękę jasnowłosej kobiecie, zapewne mamie. – Ja chcę iść z tatusiem! Ja chcę iść z tatusiem! – wrzeszczał, ryczał, darł się, śmiesznie tupiąc nóżkami w białych bucikach po białym żwirze w białym kurzu. Jednocześnie starałem się też dotrzymywać kroku chłopakom, słuchać nawoływań, sygnałów od Roziego, podczas gdy postawna kobieta w kwiecistej letniej sukni bez rękawów przedzierała się hałaśliwie obok nas w stronę, gdzie miały stać samochody. Potem przez jakiś czas kręcił się przede mną, dawał porywać prądowi, potrącał ludzi mały starszy pan w czarnym kapeluszu i czarnym krawacie, rozglądając się dokoła z badawczą miną i wy-krzykując: – Ilonko! Ilonka! Później wysoki mężczyna o kościstej twarzy i długowłosa brunetka przylgnęli do siebie twarzami, wargami, całym ciałem, co wywołało przelotny gniew tłumu, aż w końcu kobietę – czy też raczej dziewczynę – oderwał od niego nieustający napór ludzkiego strumienia, uniósł ją i pochłonął, choć raz czy dwa widziałem z daleka, jak wspinała się z wysiłkiem na palce i szeroko machała ręką na pożegnanie.

Te obrazy, głosy, wydarzenia trochę mi wszystko pomieszały i trochę mnie oszołomiły w tym pod koniec już zbijającym się w jedno dziwaczne, barwne, powiedziałbym, zwariowane wrażenie tłumie: właśnie dlatego nie byłem zdolny śledzić innych, może ważniejszych rzeczy. I tak na przykład trudno byłoby mi powiedzieć: rezultatem czyjego wysiłku, naszego, żołnierzy, więźniów, czy też raczej wszystkich razem, było to, że w końcu jednak ukształtowała się wokół mnie długa kolumna, teraz już samych mężczyzn, samych regularnych piątek, która powoli, ale nareszcie równomiernie szła wraz ze mną, krok za krokiem, przed siebie. Przed nami, powiedziano nam ponownie, są łaźnie, najpierw jednak, dowiedziałem się, czeka nas jeszcze przegląd lekarski. Wspomniano o tym, ale i samemu nietrudno mi było zrozumieć, że chodzi o sprawdzenie przydatności do pracy.

Do tej pory już trochę odsapnąłem. Nawoływaliśmy się z chłopakami obok mnie, przede mną, za mną, machaliśmy do siebie rękami. Było gorąco. Mogłem się rozejrzeć dookoła, trochę zorientować, gdzie właściwie jesteśmy. Stacja była schludna. Pod naszymi stopami, jak zwykle w takich miejscach, żwir, dalej pas trawy, w niej żółte kwiaty, biegnąca w nieskończoność, nieskazitelnie biała asfaltowa szosa. Zauważyłem też, że ową szosę oddziela od zaczynającego się za nią olbrzymiego terenu rząd jednakowo wygiętych słupów, między którymi połyskuje metalicznie drut kolczasty. Łatwo się było domyślić: tu zapewne mieszkają więźniowie. Po raz pierwszy – może dlatego, że po raz pierwszy miałem na to czas – zaczęli mnie bardziej interesować i byłem ciekaw, co takiego przeskrobali.

Kiedy się rozejrzałem, znów zaskoczyła mnie wielkość, ogrom tej równiny. Jednak w tym całym tłumie i w tym oślepiającym blasku naprawdę nie mogłem się dokładnie zorientować: ledwo zdołałem rozróżnić przycupnięte w oddali przy ziemi budynki, tu i ówdzie kilka wieżyczek przypominających ambony myśliwskie, wieżę, komin. Ci, którzy stali koło mnie, chłopaki i dorośli, pokazywali teraz coś w górze - podłużny, nieruchomy, lśniący kształt skąpany w białych oparach bezchmurnego, ale jakby wyblakłego nieba. To był zeppelin, rzeczywiście. Wyjaśnienia w pobliżu mnie sprowadzały się na ogół do obrony przeciwlotniczej: wtedy przypomniałem sobie poranne wycie syren. Jednak po niemieckich żołnierzach wokół nas nie było widać ani śladu niepokoju czy strachu. Pomyślałem o alarmach lotniczych w domu, i ten pogardliwy spokój, ta nietykalność pozwoliły mi lepiej zrozumieć ów rodzaj szacunku, z jakim w domu mówiło się przeważnie o Niemcach. Dopiero teraz zauważyłem dwie podobne do błyskawic linie na ich kołnierzach. Stwierdziłem więc, że muszą należeć do słynnej formacji SS, o której już w domu dużo słyszałem. Oświadczam, że nie wydali mi się ani trochę niebezpieczni: spokojnie przechadzali się tam i z powrotem wzdłuż słupów, patrolowali, odpowiadali na pytania, kiwali głowami, a niektórych poklepywali serdecznie po plecach lub ramieniu.

Coś jeszcze zaobserwowałem w tych bezczynnych minutach wyczekiwania. Oczywiście w domu też często widywałem niemieckich żołnierzy. Ale tam zawsze w pośpiechu, zawsze z zamkniętą twarzą, zawsze nienagannie ubranych. Tu natomiast ruszali się inaczej, jakoś niedbalej, można by powiedzieć, bardziej po domowemu. Dostrzegłem też między nimi pewne różnice: bardziej miękkie lub sztywniejsze, lśniące lub mniej, jakby robocze czapki, buty, mundury. Przy każdym pasie broń, co było naturalne, w końcu to żołnierze, oczywiście. Ale ponadto zauważyłem, że niektórzy trzymają w ręku laski, takie wygięte, zwyczajne spacerowe laseczki, i to mnie trochę zdziwiło, bo przecież wszyscy chodzili normalnie i byli niewątpliwie mężczyznami w pełni sił. Później udało mi się z bliższej odległości przyjrzeć tej rzeczy. Zwróciłem mianowicie uwagę, że jeden ze znajdujących się przede mną żołnierzy, na wpół odwrócony tyłem, przełożył ją za plecy i trzymając za oba końce, zaczął ją wyginać jakby znudzonym ruchem. Byliśmy coraz bliżej niego. I dopiero wtedy zobaczyłem, że ta rzecz nie jest z drewna, lecz ze skóry, i że to nie laska, tylko pałka. Zrobiło mi się trochę dziwnie – nie widziałem jednak, żeby któryś z nich tego używał, a przecież było wokół nas, musiałem przyznać, wielu więźniów.

Jednocześnie słyszałem, choć nie zwracałem większej uwagi na te wezwania, jak poproszono, żeby wystąpili ci, którzy się znają na ślusarce maszynowej, później znów to samo do bliźniaków, upośledzonych fizycznie, a nawet, co wzbudziło pewną wesołość, do znajdujących się wśród nas karłów; potem szukali dzieci, ponieważ, jak się słyszało, czeka je szczególne traktowanie, nauka zamiast pracy i różne ulgi. Kilku dorosłych z naszego szeregu zaczęło nas namawiać, byśmy wystąpili: nie przegapmy szansy. Ale ja miałem jeszcze w pamięci ostrzeżenie więźniów z pociągu, zresztą bardziej, oczywiście, chciało mi się pracować niż żyć jak dziecko.

Ale podczas tego wszystkiego posunęliśmy się spory kawałek naprzód. Zauważyłem, że nagle bardzo rozmnożyli się wokół nas żołnierze i więźniowie. Nasza piątka od pewnego miejsca ruszyła gęsiego. I wtedy kazano nam zdjąć marynarki i koszule, abyśmy mogli stanąć przed lekarzem z nagim torsem. Czułem, że tempo narasta. Jednocześnie zobaczyłem, że z przodu stoją dwie grupy. Po prawej ręce zebrało się większe, bardzo mieszane towarzystwo, a po lewej mniejsze i jakieś sympatyczniejsze, gdzie dostrzegłem kilku naszych chłopaków. Ta druga grupa od razu wydawała się – przynajmniej mnie – przydatna. Tymczasem, i to coraz szybciej, zdążałem prosto tam, gdzie w chaosie wielu ruszających się postaci zamajaczył stały punkt, nieskazitelny mundur z wysoką, wygiętą, okrągłą czapką niemieckich oficerów; potem zdziwiło mnie już tylko to, jak szybko przyszła na mnie kolej.

Nawiasem mówiąc, samo badanie mogło zajmować (mniej więcej) ze dwie, trzy sekundy. Przede mną stał Moskovics – jemu jednak lekarz wskazał od razu drogę do drugiej grupy, pokazał mu nawet palcem. Jeszcze słyszałem, jak próbował tłumaczyć: – *Arbeiten... Sechzehn...* – ale skądś wyciągnęła się po niego ręka i już ja zająłem jego miejsce. Mnie, widziałem, lekarz obejrzał dokładniej, badawczym, uważnym spojrzeniem. Wyprostowałem się, żeby mu pokazać moją klatkę piersiową, i jeszcze, pamiętam, uśmiechnąłem się lekko, tak, po Moskovicsu. Zaraz poczułem zaufanie do lekarza, bo miał bardzo dobrą prezencję i sympatyczną, podłużną, ogoloną twarz z raczej wąskimi wargami i niebieskimi lub szarymi, w każdym razie jasnymi, dobrotliwie patrzącymi oczami. Dobrze mu się przyjrzałem, podczas gdy on, opierając dłonie w rękawiczkach po obydwu stronach mojej twarzy, odciągnął mi kciukami skórę spod oczu – takim znanym jeszcze z domu lekarskim ruchem. Jednocześnie cichym, a jednak bardzo wyraźnym, zdradzającym wykształconego człowieka głosem zapytał: – *Wie viel Jahre alt bist du?* – ale tak jakby mimochodem. Powiedziałem mu: – *Sechzehn.* – Skinął lekko głową, ale w taki sposób, jakby czekał na właściwą odpowiedź, a nie na prawdę, przynajmniej wtedy takie odniosłem wrażenie. Jeszcze inne spostrzeżenie czy raczej przelotna myśl, być może błędna, ale wyglądał na zadowolonego, jakby mu ulżyło; czułem, że mu się spodobałem. Potem, popychając ręką moją twarz, drugą zaś wskazując kierunek, odesłał mnie na drugą stronę jezdni, do przydatnych. Chłopaki czekali już triumfalnie, śmiejąc się z radości. I na widok ich promiennych twarzy chyba pojąłem, co nas tak naprawdę dzieli od tych z przeciwka: jeśli się nie myliłem, był to sukces.

Włożyłem więc koszulę, zamieniłem kilka słów z chłopakami i znów czekałem. Stąd już całkiem inaczej patrzyłem na tę całą pracę toczącą się po tamtej stronie szosy. Ludzki nurt walił niekończącą się rzeką, utykał w coraz węższym korycie, znów przyspieszał, potem rozgałęział się przed lekarzem na dwie odnogi. Chłopaki przybywali jeden za drugim i teraz już ja też brałem udział w ich powitaniu, oczywiście. Nieco dalej ujrzałem nową kolumnę, kobiety. Wokół nich też byli żołnierze i więźniowie, przed nimi także lekarz, tam również działo się dokładnie to samo co u nas, z tą różnicą, że one nie musiały zdejmować bluzek i to, jak się zastanowić, było zrozumiałe. Wszystko się ruszało, wszystko działało, każdy był na swoim miejscu i robił swoje, dokładnie, pogodnie, jak trzeba. Na wielu twarzach widziałem uśmiech, skromniejszy lub pewniejszy siebie, ani nie powątpiewający, ani nie przewidujący – w gruncie rzeczy jednakowy, mniej więcej taki sam jak przed chwilą mój. Z takim właśnie uśmiechem zwróciła się z jakimś pytaniem do żołnierza, zaciskając na piersiach biały płaszcz przeciwdeszczowy, ciemnowłosa, z mojego miejsca bardzo ładnie wyglądająca kobieta z kolczykami w kształcie kółek w uszach, i tak samo uśmiechnięty stanął właśnie przed lekarzem przystojny, czarnowłosy mężczyzna: był przydatny. Bez trudu połapałem się, na czym polegała praca lekarza. Zjawiał się starszy człowiek – jasne: na drugą stronę. Młodszy – tu, do nas. Inny, brzuchaty, na dodatek wyprężony jak struna: wszystko na próżno – ale nie, lekarz jednak przysłał go tutaj i wcale nie byłem z tego zadowolony, bo wydał mi się nieco leciwy. Musiałem też stwierdzić, że większość mężczyzn była straszliwie zarośnięta, a to nie robi dobrego wrażenia. I tak, patrząc okiem lekarza, nie mogłem nie zauważyć, ilu jest wśród nas starych lub z innych powodów nieprzydatnych ludzi. Jeden za chudy, inny za gruby, jeszcze innego, który mrugał oczami i bezustannie wykrzywiał nos i usta niby węszący zając, uznałem za psychicznie chorego – choć i ten w poczuciu obowiązku uśmiechał się z całą gotowością, przewalając się pospiesznie z nogi na nogę, jak kaczka, w stronę nieprzydatnych. Znowu ktoś – marynarka i koszula już w ręce, pasek opuszczony na biodra, dobrze widać zwiotczałą na piersi i ramionach, tu i ówdzie już zwisającą skórę. Ale kiedy stanął przed lekarzem – ten oczywiście natychmiast wskazał mu miejsce wśród nieprzydatnych – jakiś wyraz jego zarośniętej twarzy, jakiś uśmiech jego wyschniętych, spękanych warg, taki sam jak u wszystkich, lecz jednak bardziej znajomy, poruszył moją pamięć; wydawało mi się, że chciałby jeszcze coś powiedzieć lekarzowi. Tylko że ten patrzył już nie na niego, lecz na następnego, i wtedy jakaś ręka, zapewne ta sama co przedtem Moskovicsa, jego też odepchnęła z drogi. Zrobił jakiś gest, odwrócił się z zaskoczoną i oburzoną miną – tak jest, nie myliłem się, to był Ekspert.

Potem czekaliśmy jeszcze minutę lub dwie. Przed lekarzem wciąż było mnóstwo ludzi, tu musiało nas być, jak szacowałem, około czterdziestu chłopaków i mężczyzn, kiedy nam powiedziano: idziemy się kąpać. Podszedł do nas żołnierz, nawet nie zauważyłem skąd, niski, starszawy już człowiek o spokojnej powierzchowności, z wielkim karabinem – wyglądał mi na szeregowca. – *Los, ge' ma' vorne!* – krzyknął, tak lub jakoś podobnie, nie całkiem zgodnie z podręcznikowymi regułami gramatycznymi, jak stwierdziłem. Ale w moich uszach zabrzmiało to przyjemnie, ponieważ niecierpliwiliśmy się już trochę z chłopakami, prawdę mówiąc, nie tyle chodziło nam o mydło, co przede wszystkim o wodę, oczywiście. Droga prowadziła przez bramę z siatki na teren za ogrodzeniem, gdzie, jak widać, musiała być też łaźnia: szliśmy w luźnych grupkach, niespiesznie, rozmawiając i rozglądając się, za nami obojętnie kroczył żołnierz. Pod naszymi nogami znów szeroka, nieskazitelnie biała szosa, przed nami ogromna, niekończąca się płaszczyzna w drgającym wszędzie i falującym w upale powietrzu. Nawet się zaniepokoiłem, czy to nie będzie zbyt daleko, ale, jak się później okazało, budynek łaźni znajdował się tylko około dziesięciu minut piechotą od stacji. To, co zobaczyłem w trakcie tej krótkiej drogi, całkowicie zyskało moją aprobatę. Zwłaszcza bardzo mnie ucieszyło boisko do piłki nożnej, na wielkiej łące zaraz po prawej ręce od szosy. Zielona murawa, niezbędne białe bramki, wymalowane na biało linie – wszystko tam było, kuszące, świeże, dobrze utrzymane, w największym porządku. Zaraz też powiedzieliśmy sobie z chłopakami: pogramy tu sobie po pracy. Jeszcze większą radość wywołało to, co dostrzegliśmy kilka kroków dalej, na skraju szosy po lewej – to była woda, bez wątpienia, coś w rodzaju przydrożnej studni z pompą. Miała od niej odstraszać umieszczona obok tablica z czerwonymi literami: *Kein Trinkwasser*, ale w tej chwili nie mogła odstraszyć żadnego z nas, oczywiście. Żołnierz był całkiem cierpliwy i muszę przyznać, że już dawno tak mi nie smakowała woda, jeśli nawet został mi po niej w ustach jakiś specyficznie chemiczny, ostry i mdlący smak. Idąc dalej, widzieliśmy też budynki, takie same, jakie zauważyłem ze stacji. Rzeczywiście, z bliska też wyglądały dziwacznie, długie, płaskie, nieokreślonej barwy, z jakimś wystającym wzdłuż całego dachu urządzeniem do wentylacji czy oświetlenia. Każdy z nich otaczała ścieżka wysypana czerwonym żwirem i wszystkie oddzielały od szosy wypielęgnowane trawniki, wśród których zobaczyłem ze zdziwieniem małe ogródki warzywne, poletka kapusty, na grządkach zaś rosły różnokolorowe kwiaty. Wszystko było bardzo czyste, schludne i ładne – naprawdę musiałem przyznać, że mieli rację ci z cegielni. Pomyślałem, że tylko jednego mi tu brakuje: nie widzę mianowicie w tej okolicy żadnego ruchu, śladu życia. Ale przyszło mi do głowy, że to naturalne, przecież dla mieszkańców to w końcu czas pracy.

Także w łaźni (znaleźliśmy ją, skręciwszy na lewo, za nowym ogrodzeniem z drutu kolczastego i nową bramą z siatki) więźniowie byli już na nas przygotowani i z całą gotowością wszystko nam tłumaczyli. Najpierw weszliśmy do pomieszczenia o kamiennej posadzce, przypominającego poczekalnię. Było tu już bardzo dużo ludzi, wśród których rozpoznałem moich towarzyszy podróży. Z tego zrozumiałem, że tu także praca toczy się nieprzerwanie, jak widać, sprowadzają grupkę za grupką do kąpieli. Znowu mieliśmy do pomocy pewnego więźnia, który – trzeba mu przyznać – był nadzwyczaj elegancki. Nosił wprawdzie pasiasty więzienny strój, tyle że kurtka była wypchana w ramionach, zwężona w talii, mogę śmiało powiedzieć: wyprasowana i skrojona według najnowszej mody, poza tym miał porządnie uczesane, lśniące, czarne, gęste włosy, jak my, wolni ludzie. Przyjął nas, stojąc na przeciwległym końcu pomieszczenia, po jego prawej stronie ujrzałem żołnierza, który z kolei zajmował miejsce za niewielkim stolikiem. On sam był niski, o pogodnej twarzy i bardzo gruby, z brzuchem zaczynającym się tuż pod szyją, z fałdami podbródka wylewającymi się na kołnierz i zabawnymi szparkami oczu w pomarszczonej, żółtawej twarzy bez zarostu: w jakiś sposób przypominał karłów, których szukano wśród nas na stacji. Ale na głowie miał okazałą czapkę, na stole leżała teczka lśniąca nowością, obok niej pleciony z białej skóry, muszę przyznać, pięknej roboty pejcz, widocznie własność osobista. To wszystko zauważyłem bez wysiłku przez szczeliny wśród głów i ramion, podczas gdy my, nowo przybyli, też staraliśmy się jakoś zagnieździć, ustawić w tym i bez nas zatłoczonym pomieszczeniu. Wtedy więzień wyśliznął się, potem pospiesznie wrócił przez przeciwległe drzwi, by później o czymś poinformować żołnierza, w wielkiej tajemnicy szepcząc mu coś niemal prosto do ucha. Żołnierz wyglądał na zadowolonego i usłyszałem jego cienki, ostry i posapujący, pasujący raczej do dziecka lub kobiety głos, kiedy odpowiedział tamtemu w kilku zdaniach. Potem wyprostował się i podniósł do góry rękę, a więzień natychmiast poprosił nas o „ciszę i uwagę" – i w tej chwili po raz pierwszy sam przeżyłem tę tak często wspominaną radość na dźwięk swojskiej węgierskiej mowy na obczyźnie: stałem zatem naprzeciw rodaka. Zaraz go trochę pożałowałem, przecież widziałem, że jest jeszcze całkiem młodym, rozumnym mężczyzną, i musiałem też przyznać, że choć to więzień, ma ujmującą twarz, i zapragnąłem się od niego dowiedzieć, skąd, jak i za jaką przewinę znalazł się w niewoli; ale na razie poinformował nas tylko, że chce nam powiedzieć, co mamy robić, i przekazać nam życzenia Herr Oberscharführera. Jeśli zastosujemy się do tych życzeń, czego, nawiasem mówiąc, się po nas spodziewają, dodał, wszystko pójdzie „jak z płatka", co według niego leży przede wszystkim w naszym interesie, jest również, zapewnił, życzeniem „Herr Obera" – bo tak go nazwał, odrzucając oficjalną formę, krócej i według mnie chyba bardziej poufale.

Potem dowiedzieliśmy się od niego o kilku prostych, w takiej sytuacji oczywistych rzeczach, podczas gdy żołnierz, z ożywieniem kiwając głową, potwierdzał, poświadczał wiarygodność – w końcu to więzień – jego słów, z przyjazną miną i wesołymi oczkami, zwracając się to ku niemu, to znów ku nam. Dowiedzieliśmy się na przykład, że w dalszym pomieszczeniu, to jest w „rozbieralni", mamy się rozebrać i porządnie powiesić całe nasze ubranie na znajdujących się tam wieszakach. Na wieszakach są numery. Podczas gdy będziemy się kąpać, zdezynfekuje się także naszą odzież. Nie musi chyba specjalnie tłumaczyć – sądził i uważam, że miał rację – dlaczego jest tak ważne, aby każdy dobrze wbił sobie w pamięć swój numer. Nietrudno było mi też zrozumieć korzyść płynącą z polecenia, by związywać obuwie parami „w celu uniknięcia ewentualnego pomieszania", jak dodał. Później zajmą się nami, obiecał, fryzjerzy i w końcu przyjdzie kolej na kąpiel.

Przedtem jednak, ciągnął, niech wystąpią ci wszyscy, którzy mają jeszcze pieniądze, złoto, kamienie szlachetne lub jakiekolwiek inne walory, i złożą je „w depozycie u Herr Obera", jako że to ostatnia okazja, żeby „bezkarnie uwolnić się" od takich rzeczy. Jak mianowicie wyjaśnił, handel, wszelkie kupno–sprzedaż, a więc i posiadanie przedmiotów wartościowych jest „w lagrze najsurowiej zabronione" – użył tego słowa, nowego dla mnie, ale od razu zrozumiałego dzięki nauce niemieckiego. Po kąpieli każdemu zrobi się „rentgen", i to „specjalnie do tego celu przeznaczonym aparatem", poinformował nas, a żołnierz wyrazistym kiwaniem głową, znakomitym humorem, niewątpliwą akceptacją przydawał szczególnej wagi słowu „rentgen", które zapewne on też rozumiał. Przyszło mi na myśl: zatem jednak żandarm musiał być dobrze poinformowany. Ze swojej strony może jeszcze tylko dodać, powiedział więzień, że próba przemycenia czegokolwiek, która dla winnego wiąże się z ryzykiem „najsurowszej kary", dla nas wszystkich zaś utraty honoru w oczach niemieckich władz, jest według niego „niecelowa i niedorzeczna". Nie ulega wątpliwości, pomyślałem, że ma rację, choć mnie ta sprawa nie dotyczyła. Nastąpiła chwila ciszy, jak mi się wydawało, pod koniec już trochę niewygodnej. Potem ruch z przodu: poproszono, by zrobić przejście, wystąpił jakiś człowiek, położył coś na stole i szybko wrócił na miejsce. Żołnierz coś do niego powiedział; zabrzmiało to pochwalnie. Przedmiot – małą rzecz, nie widziałem jej dobrze z mojego miejsca – wrzucił natychmiast do szuflady stolika, ale najpierw obejrzał, jakby go szacował przelotnym spojrzeniem. Wydawało mi się, że jest zadowolony. Potem znów przerwa, ale krótsza od poprzedniej, i znów ruch, znów jakiś człowiek – później ludzie występowali już bezustannie, coraz śmielej i coraz gęściej, od razu podchodzili do stolika i kładli na tym kawałeczku wolnego miejsca między teczką a pejczem błyszczące, stukające, brzęczące lub szeleszczące przedmioty. Wszystko to – poza odgłosami kroków i przedmiotów, no i piskliwych, krótkich wypowiedzi żołnierza, które za każdym razem brzmiały wesoło i ośmielająco – odbywało się w kompletnej ciszy. Zauważyłem też, że żołnierz stosuje tę samą metodę do każdego przedmiotu. I tak, jeśli ktoś położył przed nim dwie rzeczy naraz, najpierw osobno oglądał jedną, niekiedy z uznaniem kiwając głową, specjalnie dla niej wyciągał szufladę, umieszczał ją w niej, potem zamykał szufladę, przeważnie brzuchem, aby przejść do następnej rzeczy i powtórzyć z nią dokładnie te same czynności. Zdumiewające, ile się jeszcze wszystkiego ujawniło, w końcu po żandarmach. Zaskoczył mnie też odrobinę ten pośpiech, ta nagła gorliwość ludzi, skoro już raz zdecydowali się na wszelkie przykrości i kłopoty, które wiązały się z posiadaniem cennego przedmiotu. Dlatego też może na niemal wszystkich twarzach tych, którzy wracali od stolika, widziałem ten sam nieco uroczysty wyraz zawstydzenia, a zwłaszcza ulgi.

Cóż, stoimy przecież u progu nowego życia i musiałem przyznać, że to w końcu całkiem inna sytuacja niż na żandarmerii, oczywiście. Wszystko, cała ta operacja zajęła około trzech, czterech minut, jeśli mam być dokładny.

O tym, co było potem, niewiele mam do powiedzenia: w gruncie rzeczy wszystko odbywało się według wskazówek więźnia. Otworzyły się przeciwległe drzwi i przeszliśmy do pomieszczenia, w kórym na całej długości widniały ławki i wieszaki. Od razu znalazłem wolny numer i powtórzyłem go sobie kilka razy w myśli, żeby nie zapomnieć. Związałem też buty, tak jak polecił więzień. Dalej była duża sala o niskim suficie, bardzo jasno oświetlona lampami: wszędzie wzdłuż ścian pracowali fryzjerzy, powarkiwały elektryczne maszynki do strzyżenia, fryzjerzy zwijali się – sami więźniowie. Dostałem się do jednego z nich po prawej stronie. Mam usiąść, powiedział zapewne, bo nie rozumiałem jego języka, na stojącym przed nim taborecie. Już przystawił mi maszynkę do karku, już zestrzygł mi włosy – i to całe, na łysą pałę. Potem wziął do ręki brzytwę: mam wstać i podnieść ręce, pokazał, i już skrobał mi brzytwą pod pachami. Potem sam usiadł przede mną na taborecie. Ni mniej, ni więcej, tylko złapał mnie za to, co najwrażliwsze, i również stamtąd zgolił całą koronę, każdy włosek, całą moją męską dumę, która mi nie tak znów dawno wyrosła. Możliwe, że to głupota, ale ta strata bolała mnie jeszcze bardziej niż włosy na głowie. Byłem zaskoczony i trochę zły – ale rozumiałem, że w gruncie rzeczy śmiesznie byłoby czepiać się takiego drobiazgu. Zresztą sam widziałem, że wszystkich innych, także chłopaków, spotkał ten sam los i zaraz też zapytaliśmy Jedwabnego Chłopca: – No i jak teraz będzie z dziewczynami?

Ale już wołano nas dalej; następowała kąpiel. W drzwiach jakiś więzień wcisnął idącemu przede mną Roziemu mały kawałek brązowego mydła i powiedział, a także pokazał: na trzy osoby. W łaźni mieliśmy pod stopami śliską drewnianą kratę, nad głowami sieć rur i mnóstwo pryszniców. Było tu już bardzo dużo chyba nie najładniej pachnących ludzi. Wydało mi się interesujące, że woda popłynęła sama z siebie, całkiem nieoczekiwanie, choć przedtem wszyscy, ja też, daremnie szukaliśmy kurków. Nie lała się jakimś obfitym strumieniem, ale jej temperatura wydała mi się ożywczo chłodna, bardzo przyjemna w tym wielkim skwarze. Przede wszystkim porządnie się jej napiłem – miała taki sam smak jak tamta ze studni. Wokół mnie wszędzie wesołe odgłosy, chlapanie, prychanie, sapanie – to była pogodna, beztroska chwila. Dokuczaliśmy sobie z chłopakami z powodu naszych łysych głów. Jeśli chodzi o mydło, okazało się, że niestety niezbyt się pieni, za to sporo w nim kaleczących skórę, ostrych ziarenek. A jednak tłustawy człowiek stojący blisko mnie – z czarnymi, skręconymi włosami na plecach i piersi, które mu zostawili – długo się nim nacierał, uroczystymi, powiedziałbym, rytualnymi ruchami. Kiedy go sobie dobrze obejrzałem, wydało mi się, że czegoś mu jeszcze, oczywiście poza włosami, brakuje. Dopiero później spostrzegłem, że na brodzie i wokół ust ma bielszą skórę i widnieje na niej pełno świeżych, czerwonych zacięć. To był rabin z cegielni, poznałem go, czyli i on przyjechał. Bez brody wydawał mi się już mniej niezwykły: normalny człowiek o trochę za dużym nosie i właściwie pospolitej powierzchowności. Mydlił w najlepsze nogę, kiedy – równie nieoczekiwanie, jak przedtem popłynęła – teraz nagle znikła z pryszniców woda, wówczas zdziwiony spojrzał w górę i zaraz potem znów w dół, przed siebie, ale z jakimś poddaniem, jakby przyjmował do wiadomości, rozumiał i zarazem pochylał głowę przed wolą odgórnych dyspozycji.

Sam też nie mogłem zrobić nic innego; już nas prowadzili, już popychali do wyjścia. Znaleźliśmy się w licho oświetlonym pomieszczeniu, gdzie jakiś więzień wtykał każdemu do ręki, także mnie, chustkę do nosa – nie, okazało się, że to ręcznik, zwracając uwagę: po użyciu należy mu oddać. Inny zaś posmarował mi płaskim pędzlem głowę, pod pachami i to szczególnie wrażliwe miejsce jakimś płynem o podejrzanym kolorze, który wywoływał uczucie swędzenia, a jego zapach kręcenie w nosie, co świadczyło o tym, że jest to środek dezynfekcyjny, ale zrobił to całkiem niespodziewanie, jakimiś szybkimi i zręcznymi ruchami. Potem następował korytarz z dwoma oświetlonymi oknami po prawej i na końcu z trzecim pomieszczeniem bez drzwi; w każdym z tych pomieszczeń stał jeden więzień i rozdawał odzież. Dostałem – tak samo jak wszyscy – koszulę z czasów mojego dziadka, która niegdyś musiała być niebieska w białe paski, bez guzików i kołnierzyka, podobnie wiekowe kalesony rozcięte na kostkach i wiązane na troczki, zniszczone ubranie, dokładną kopię tych więźniarskich, z płótna i w biało--niebieskie paski – normalny strój więzienny, nic dodać, nic ująć; potem w otwartym pomieszczeniu już sam mogłem sobie poszperać w stosie dziwacznych butów: miały drewniane spody, płócienne wkładki i nie były sznurowane, tylko zapinane z boku na trzy guziki, i wybrać pasujące mniej więcej na moją stopę. I jeszcze, żebym nie zapomniał, dwie szare szmatki, jak mi się wydawało, z pewnością chustki, no i w końcu nieodzowny rekwizyt: miękką, okrągłą, więzienną czapkę w poprzeczne paski. Zawahałem się trochę – ale wśród naglących zewsząd głosów, pospiesznego, gorączkowego ubierania się wokół mnie ja też nie mogłem zwlekać, oczywiście, jeśli nie chciałem zostać w tyle. Spodnie – ponieważ były za szerokie i nie miały paska czy jakichś szelek – byłem zmuszony zawiązać w pośpiechu na węzeł, buty zaś charakteryzowały się tym, czego przedtem nie widziałem, że nie zginają im się spody. Ubierając się, żeby mieć wolne ręce, włożyłem też czapkę na głowę. Także wszystkie chłopaki były już gotowe; tylko patrzyliśmy po sobie, nie wiedząc, śmiać się czy raczej dziwić. Ale nie mieliśmy czasu ani na jedno, ani na drugie: już byliśmy na zewnątrz, znów na powietrzu. Nie wiem, kto tak zarządził ani co się stało – pamiętam tylko, że zwalił się na mnie jakiś napór, jakiś impet niósł mnie i pchał, biegłem, potykając się trochę w nowym obuwiu, wśród tumanów kurzu i docierających z tyłu dziwnych odgłosów, jakby walono kogoś po plecach, wciąż naprzód, ku zacierającej się już w moich oczach i zlewającej w jedno gmatwaninie nowych dziedzińców, otwierających się i zamykających bram z drutu i ogrodzeń z drutu.

5

Sądzę, że nie ma chyba nowego więźnia, który nie byłby z początku trochę zdziwiony swoją sytuacją; także my, na tym podwórzu, na które wyszliśmy z łaźni, najpierw długo przyglądaliśmy się sobie, podziwialiśmy się z przodu i z tyłu. Ale zwróciłem też uwagę na pewnego młodego jeszcze człowieka blisko nas, który długo, z wytężoną uwagą i zarazem jakoś niepewnie oglądał, obmacywał całe ubranie, jakby chciał poznać jakość materiału, z jakiego je uszyto, czy też badał jego autentyczność. Potem podniósł wzrok, jakby miał coś ważnego do powiedzenia, ale ponieważ ujrzał wokół siebie same pasiaki, więc w końcu nic nie powiedział - tak mi się przynajmniej w tamtej chwili wydało, być może się myliłem. W ogolonym na łysą pałę, w za krótkim na jego wysoką postać więziennym stroju, rozpoznałem po kościstej twarzy zakochanego, który mniej więcej przed godziną - bo tyle czasu musiało upłynąć od naszego przyjazdu do przeobrażenia - z takim trudem wypuścił z ramion czarnowłosą dziewczynę. Jednego natomiast bardzo pożałowałem. Pamiętam, że jeszcze w domu zdjąłem na chybił trafił z półki upchaną głębiej i nie wiadomo od jak dawna porastającą kurzem książkę. Autorem był więzień, ale nie przeczytałem jej do końca, bo jakoś nie bardzo mnie pasjonowała, a poza tym postacie miały na ogół po trzy imiona, straszliwie długie i nie nadające się do zapamiętania, no i prawdę mówiąc, więzienne życie budziło we mnie jakąś niechęć: tak oto okazałem się niedoukiem na czas potrzeby. Z całości zostało mi tylko tyle, że ten więzień, autor książki, lepiej pamiętał pierwsze, czyli już dalsze od niego, dni niż późniejsze, czyli bliższe czasu pisania. Wtedy wydawało mi się to nieco wątpliwe, a nawet nieprawdziwe. Ale mam wrażenie, że jednak nie kłamał: ja też najlepiej pamiętam pierwszy dzień, rzeczywiście, jak pomyślę, znacznie dokładniej niż następne.

Powiedziałbym, że z początku czułem się właściwie gościem w tej niewoli – było to całkiem zrozumiałe i w gruncie rzeczy wynikało z tego, że my wszyscy, cały rodzaj ludzki, lubimy się łudzić. Podwórze, ten wypalony słońcem plac, wydawało się nieco pustynne, nigdzie ani śladu boiska, warzywnika, trawników czy kwiatów. Stał tu jedynie prosty, przypominający z wyglądu wielką szopę drewniany budynek, zapewne nasz dom. Wejść do środka, dowiedziałem się, można dopiero na czas nocnego spoczynku. Przed nim i za nim długi, bezkresny rząd podobnych szop, po lewej stronie dokładnie taki sam, w regularnych odstępach, z przodu, z tyłu, z boku. Za nim ta szeroka, olśniewająca szosa – albo taka sama szosa, bo po drodze z łaźni tożsamość dróg, placów i jednakowych budynków na tym ogromnym, płaskim terenie stała się już niezbyt jasna, przynajmniej dla mnie. Tam gdzie owa droga mogłaby się spotkać z poprzeczną, która biegła wśród szop, zamykał przejście bardzo ładny, wyglądający jak zabawka czerwono-biały szlaban. Po prawej stronie natomiast dobrze już znane ogrodzenie z drutu kolczastego, jak się zdumiony dowiedziałem, pod prądem, i rzeczywiście, dopiero wtedy zauważyłem na betonowych słupach liczne porcelanowe izolatory, jak w domu na słupach elektrycznych i telegraficznych. Uderzenie prądu, zapewniano, jest śmiertelne; nawiasem mówiąc, wystarczy tylko stanąć na miałkim piasku wąskiej ścieżki przy ogrodzeniu, aby z wieży wartowniczej (pokazali mi ją i to było to, co ze stacji wydało mi się myśliwską amboną) bez słowa, bez ostrzeżenia zastrzelili człowieka – powtarzali ze wszystkich stron, gorliwie i udając ważnych ci, którzy byli lepiej poinformowani. Wkrótce z wielkim brzękiem zjawili się też ochotnicy, uginający się pod ciężarem ceglastoczerwonych kotłów. Już przedtem mianowicie rozeszła się pogłoska, którą zaraz zaczęto omawiać i powtarzać na całym podwórzu: – Za chwilę dostaniemy gorącą zupę! – Nie ma co, ja też uznałem, że najwyższa pora, choć te wszystkie promienne twarze, ta wdzięczność, ta specyficzna, niemal dziecięca radość, z jaką przekazywano ową wieść, nieco mnie jednak zdziwiła: może dlatego wydało mi się, że odnosiła się nie tyle do zupy, co raczej przede wszystkim do samej dbałości o nas, nareszcie, po tylu pierwszych niespodziankach – przynajmniej takie miałem wrażenie. Było też prawdopodobne, że informacja pochodzi od tego mężczyzny, tego więźnia, który wydał nam się od razu przodownikiem, żeby nie powiedzieć: gospodarzem. On także, jak więzień z łaźni, nosił dopasowany pasiak, już całkiem niezwykłe w moich oczach włosy, na nich beret z grubego granatowego sukna, na nogach ładne, żółte półbuty, a czerwona opaska na ramieniu świadczyła o jego władzy i doszedłem do wniosku, że muszę uaktualnić pewną ideę, wpojoną mi jeszcze w domu, według której „nie strój czyni człowieka". Miał też na piersi czerwony trójkąt – a to od razu mówiło wszystkim, że znalazł się tu nie z powodu krwi, lecz tylko swoich poglądów, jak się wkrótce dowiedziałem. Wobec nas, mimo że odrobinę sztywny i małomówny, był przyjacielski, chętnie tłumaczył wszystko, co trzeba, i w tym też nie widziałem wtedy nic osobliwego, przecież w końcu on jest tu dłużej, myślałem. Był wysoki, raczej chudy, o nieco zmiętej, zniszczonej, ale sympatycznej twarzy. Zauważyłem jeszcze, że często odchodzi na bok, i z oddali dostrzegłem też kilka razy jego zdziwione, nierozumiejące spojrzenie, a w kącikach ust uśmieszek, jakby kręcił głową, jakbyśmy go zaskoczyli, nie wiem dlaczego. Później powiedziano mi, że jest ze Słowacji. Kilku z nas znało ten język i ci często zbijali się wokół niego w niewielkie grupki.

Zupę nalewał sam, dziwaczną chochlą o długim trzonku, która miała raczej kształt lejka, dwaj inni ludzie, zapewne pomocnicy, rozdawali czerwone emaliowane miski i zniszczone łyżki – jedną na dwóch, jako że jest ich za mało, jak nas poinformowano; dlatego też, dodali, zaraz po jedzeniu musimy im wszystko zwrócić. Po jakimś czasie przyszła moja kolej. Zupę, miskę i łyżkę dostałem razem z Kaletnikiem – nie bardzo byłem z tego zadowolony, bo nigdy z nikim nie jadłem z jednego talerza i jedną łyżką, ale potrzeba, musiałem przyznać, może niekiedy zmuszać człowieka do różnych rzeczy. Najpierw on zjadł jedną łyżkę i natychmiast oddał mi miskę. Miał trochę dziwną minę. Spytałem go, jaka jest, a on powiedział, żebym sam spróbował. Ale wtedy już widziałem, że chłopaki dokoła spoglądają po sobie jedni w osłupieniu, inni pękając ze śmiechu. No więc spróbowałem. Doszedłem do wniosku, że jest, niestety, niejadalna. Zapytałem Kaletnika, co robimy, a on odparł, że jeśli o niego chodzi, mogę spokojnie wszystko wylać. Jednocześnie z tyłu rozległ się pogodny głos: – To jest tak zwana *Dorgemüse* – wyjaśnił. Ujrzałem krępego, trochę starszego mężczyznę, pod nosem bielszy ślad świętej pamięci wąsów, twarz – sama najlepsza wiedza. Stało wokół nas kilku ludzi z kwaśnymi minami, ściskając w rękach miski i łyżki, i on im powiedział, że brał udział w poprzedniej, pierwszej wojnie światowej, i to jako oficer. Miał wówczas dość okazji, opowiadał, żeby się zapoznać z tą zupą, mianowicie na froncie, wśród niemieckich żołnierzy, „którzy byli wtedy naszymi sojusznikami" – oznajmił. Uważa, że to nic innego, jak „suszone jarzyny". Dla węgierskiego żołądka, dodał z jakimś wyrozumiałym, pobłażliwym uśmiechem, rzecz jasna, jest to niezwykłe. Stwierdził jednak, że do tego można, a nawet, jak sądzi, trzeba się przyzwyczaić, jako że ta zupa zawiera dużo „wartości odżywczych i witamin", które, wyjaśnił, zapewnia sposób suszenia jarzyn, a także niemieckie doświadczenie w tym względzie. – Zresztą – zauważył z nowym uśmiechem – pierwsza zasada dobrego żołnierza to jeść wszystko, co dają dziś, bo nie wiadomo, czy jutro też dadzą – tak to powiedział. I potem naprawdę zjadł swoją porcję, spokojnie, równomiernie, bez jednego grymasu, aż do ostatniej kropli. Ja jednak moją wylałem pod ścianę baraku, tak samo jak niektórzy dorośli i chłopaki. Speszyłem się, bo z oddali poczułem wzrok naszego przodownika, i zaniepokoiło mnie, czy się nie pogniewał, ale wydawało mi się, że znów widzę na jego twarzy tylko ten dziwny, nieokreślony uśmiech. Odniosłem naczynie i otrzymałem w zamian grubą pajdę chleba, na nim zaś wyglądającą jak klocek do zabawy i mniej więcej tej samej wielkości białą masę w kształcie graniastosłupa; masło? – nie, margarynę, jak mówiono. To już zjadłem, choć nie widziałem jeszcze takiego chleba: w kształcie sześcianu, z wierzchu i w środku jakby z czarnego błota, z kawałkami słomy i trzeszczącymi w zębach ziarnami, ale był to chleb, a ja w końcu zgłodniałem po tej długiej drodze. Margarynę, z braku lepszego narzędzia, rozsmarowałem palcem, jak Robinson i jak to robili inni. Później rozejrzałem się za wodą, ale okazało się, ku mojemu zmartwieniu, że nie ma. No, rozzłościłem się, znów będzie nam się chciało pić, tak jak w pociągu.

Potem trzeba już było, wnikliwiej niż przedtem, zwrócić uwagę na zapach. Trudno byłoby mi go określić – słodkawy i jakby lepki, przemieszany ze znajomym już środkiem chemicznym, ale to wszystko razem wywoływało mdłości i już się obawiałem, czy nie zwymiotuję zjedzonego przed chwilą chleba. Bez trudu stwierdziłem: winowajcą był komin, na lewo od szosy, ale znacznie dalej. Od razu stwierdziliśmy, że jest to komin fabryczny, i ludzie dowiedzieli się od naszego więźnia, że mieści się tam fabryka wyrobów skórzanych, jak zresztą wielu przypuszczało. Rze-czywiście, przypomniałem sobie, że kiedy w niektóre niedziele wybieraliśmy się z ojcem do Újpestu na me-cze futbolowe i tramwaj przejeżdżał obok takiej fabry-ki, zawsze na tym odcinku musiałem zatykać nos. Zresztą – rozniosło się – my, na szczęście, nie będziemy pracowali w tej fabryce; jeśli wszystko dobrze pójdzie, jeśli nie wybuchnie tyfus, czerwonka czy inna zaraza, wkrótce, uspokojono nas, ruszymy dalej, w inne, przy-jaźniejsze miejsce. Dlatego też nie nosimy wciąż jeszcze na pasiakach, a zwłaszcza na skórze numerów, jak nasz przywódca, „blokowy", jak go nazywano. Te numery, nawiasem mówiąc, wielu widziało już na własne oczy: jasnozielonym atramentem – niosła się wieść – wy-pisuje się go na ręce, potem nakłuwa igłą i jest nie do zmycia, tatuaż, jak mówiono. Mniej więcej wtedy też doszło do moich uszu opowiadanie ochotnika, który przyniósł zupę. Oni też widzieli w kuchni numery na rękach ludzi, którzy byli tu już dłużej. Powtarzano zwłaszcza, szukano sensu w odpowiedzi, jakiej jeden z więźnów udzielił któremuś z nas na pytanie: co to jest? *Himmlische Telephonnummer*, to znaczy numer telefonu do nieba, miał podobno powiedzieć ten wię-zień. Widziałem, że ta sprawa intryguje nas wszystkich, i choć nie bardzo mogłem się połapać, sam też byłem zdziwiony tymi słowami. W każdym razie wtedy ludzie zaczęli się kręcić koło blokowego i jego dwóch po-mocników, przychodzili i odchodzili, wypytywali ich, zasypywali pytaniami, informacje zaś spiesznie wymieniali między sobą. Na przykład: - Czy są tu epidemie? - Są - padła odpowiedź. - Co się dzieje z chorymi? - Umierają. - A z ciałami? - Pali się je - odpowiedział. Prawdę mówiąc, z wolna okazało się, a ja nie bardzo wiedziałem, jak doszło do tego tematu, że ten komin naprzeciwko to tak naprawdę wcale nie fabryka, tylko „krematorium", to znaczy piec do spalania, jak nam wyjaśniono znaczenie tego słowa. Przyjrzałem mu się więc lepiej: był przysadzisty, kanciasty, z szerokim wylotem, jakby ze strąconym zwieńczeniem. Muszę powiedzieć, że poza lękliwym szacunkiem, no i poza zapachem, oczywiście, który nas oblepiał niczym jakaś gęsta maź, bagno - nic innego nie czułem. Ale w oddali z nowym zdziwieniem odkryliśmy następny komin, potem jeszcze jeden i już na skraju błyszczącego nieba taki sam, z których dwa podobnie do naszego pluły dymem, i może mieli rację ci spośród nas, którzy zaczęli również podejrzewać chmurę dymu bijącą zza dalekiego, rachitycznego zagajnika, uważam, że całkiem słusznie wpadło im to na myśl: aż taka ta zaraza, że jest tu tylu zmarłych?

Muszę powiedzieć, że zanim zapadł wieczór pierwszego dnia, już prawie wszystko stało się dla mnie z grubsza jasne. Prawda, byliśmy w tym czasie także w baraku z klozetami - pomieszczeniu, które składało się z trzech jakby podestów biegnących przez całą jego długość i w każdym z nich były po dwa, to znaczy razem sześć rzędów otworów – można było na nich usiąść albo do nich celować, jak komu pasowało. Zbyt dużo czasu w każdym razie nie mieliśmy, bo wkrótce zjawił się jakiś wściekły więzień, tym razem z czarną opaską i ciężką maczugą w ręce, i każdy musiał wyjść, jak stał. Wałęsało się tam jeszcze kilku innych, starych, ale zwyczajnych więźniów: ci byli już łagodniejsi i skłonni do udzielania wyjaśnień. W jedną i drugą stronę szliśmy znośną drogą, prowadzeni przez blokowego, i ta droga biegła wzdłuż interesującego miejsca: za drutami zwykłe szopy, wśród nich dziwne kobiety (od jednej z nich natychmiast odwróciłem wzrok, bo spod jej rozpiętej bluzki zwisło coś, do czego kurczowo przypadło łyse niemowlę o błyszczącej w słońcu czaszce) i jeszcze dziwniejsi mężczyźni, na ogół wprawdzie wychudzeni, ale jednak ubrani jak w wolnym życiu, że tak powiem. W drodze powrotnej już wiedziałem: to był obóz dla Cyganów. Nawet się trochę zdziwiłem – w domu mniej więcej wszyscy, także ja sam, myśleliśmy o Cyganach z rezerwą, oczywiście, ale dotychczas nigdy jeszcze nie słyszałem, żeby i oni byli przestępcami. Właśnie wtedy na teren ich obozu zajechał wóz, który ciągnęły mniejsze dzieci z uprzężą na ramionach jak koniki pony, obok nich kroczył mężczyzna z wielkimi wąsami i batem w ręku. Ładunek przykryty był derkami, ale przez szpary, przez dziurawe szmaty widać było z całą pewnością chleb, bochenki białego chleba; z tego wywnioskowałem, że jednak tamci znajdują się stopień wyżej od nas. Z tego spaceru został mi w pamięci jeszcze jeden widok: w przeciwnym kierunku, szosą, szedł jakiś biało ubrany człowiek, w białych spodniach z czerwonymi lampasami, w wielkim czarnym kapeluszu z szerokim rondem, jakie na obrazach nosili średniowieczni malarze, i z grubą, pańską laską w dłoni; rozglądał się cały czas na prawo i lewo i bardzo trudno było mi uwierzyć, że jak twierdzono, ten dostojnik był tylko więźniem, tak jak my.

Mógłbym przysiąc: z nikim obcym podczas tej drogi nie rozmawiałem. A jednak to od tego czasu datują się moje dokładniejsze wiadomości. Tam naprzeciwko palą się w tej chwili nasi współtowarzysze z pociągu, wszyscy ci, którzy wprosili się na samochód, dalej ci, którzy ze względu na wiek lub inne przyczyny okazali się według lekarza nieprzydatni do pracy, oraz dzieciaki, a wraz z nimi obecne lub przyszłe matki, po których już to widać. Ze stacji oni też pojechali do kąpieli. Im też powiedziano o wieszakach, o numerach, o tym, jak się mają zachowywać w łaźni, tak jak nam. Tam również byli fryzjerzy, jak mówiono, i też dostali mydło do rąk. Potem weszli do łaźni, gdzie są takie same rury i prysznice: tyle że puszczają z nich na ludzi nie wodę, lecz gaz. Wszystko to dotarło do mojej świadomości niejednocześnie, raczej po trosze, wciąż uzupełniając się o nowe szczegóły, przecząc jednym, potwierdzając inne. Tymczasem, jak słyszałem, są dla nich aż do końca bardzo uprzejmi, otacza ich troska i serdeczność, dzieci bawią się piłką, śpiewają, a to miejsce, gdzie się ich dusi, jest bardzo ładne, położone wśród trawników, drzew i klombów: już choćby dlatego to wszystko robiło na mnie wrażenie jakiegoś żartu, sztubackiego psikusa. Przyczyniła się jeszcze do tego wrażenia myśl, jak sprytnie na przykład udało się im mnie przebrać, wystarczył pomysł z wieszakiem i numerem, albo jak tych, którzy mieli jeszcze jakąś własność, straszyli rentgenem, co w końcu zostało tylko pustym słowem. Rzecz jasna, rozumiałem, że to nie jest tylko żart, przecież o rezultacie, że się tak wyrażę, mogłem się przekonać na własne oczy, a zwłaszcza przekonał się o nim mój buntujący się żołądek; ale takie miałem wrażenie i w gruncie rzeczy – tak sobie to przynajmniej wyobrażałem – tamto też nie mogło się odbywać zupełnie inaczej. W końcu w tej sprawie też się spotkali i całkiem prawdopodobne, że też mówili szeptem, pochylając ku sobie głowy, oczywiście nie sztubacy, lecz dorośli, dojrzali ludzie, może, a nawet na pewno panowie, godnie ubrani, z cygarami, orderami, może sami dowódcy, którym w tej chwili nie wolno było przeszkadzać – tak sobie to wyobrażałem. Potem jeden z nich wpadł na pomysł z gazem, inny zaraz wyskoczył z łaźnią, trzeci z mydłem, czwarty znów dodał do tego kwiaty i tak dalej. Niektóre pomysły omawiali pewnie dłużej, zmieniali je, podczas gdy inne od razu zyskiwały ich aprobatę, wtedy zrywając się z miejsc (nie wiem dlaczego, ale się przy tym upierałem: zrywali się), uderzali się nawzajem w dłonie - wszystko to było bardzo dobrze pomyślane, przynajmniej według mnie. Plan dowódców dzięki wielu gorliwym rękom i po wielkiej krzątaninie został urzeczywistniony i odniósł niewątpliwy sukces. Tak na pewno skończyła posłuszna synowi stara kobieta ze stacji, chłopczyk w białych bucikach i jego jasnowłosa mamusia, postawna pani, starszy pan w czarnym kapeluszu czy nerwowo chory, który stanął przed lekarzem. Pomyślałem też o Ekspercie: musiał się pewnie biedak bardzo zdziwić. Rozi powiedział z żalem, potrząsając głową: - Biedny Moskovics - i wszyscy byliśmy tego samego zdania. Jedwabny Chłopiec zaś wykrzyknął: - Jezus Maria! - Jak mianowicie udało nam się od niego dowiedzieć, podejrzenia chłopaków były uzasadnione: między nim a dziewczyną z cegielni naprawdę „wszystko się stało" i teraz myślał o widocznych z czasem konsekwencjach. Przyznaliśmy, że ma prawo się martwić, choć na jego twarzy poza zmartwieniem malowało się jakby jeszcze jakieś trudniejsze do sprecyzowania uczucie i chłopaki też patrzyli na niego w tej chwili raczej z szacunkiem, czego ani trochę nie było mi trudno zrozumieć, oczywiście. Do myślenia dała mi tego dnia także inna sprawa, jak się mianowicie dowiedziałem, to miejsce, ta instytucja istnieje już od lat, stoi tu, funkcjonuje, dzień w dzień tak samo - i choć wiedziałem, że w tej myśli może być sporo przesady, ale jednak - jakby czekało specjalnie na mnie. W każdym razie, jak opowiadano ze specyficznym, rzekłbym, lękliwym uznaniem, nasz blokowy żyje tu już cztery lata. Wówczas przyszło mi na myśl, że rok, w którym go tu przywieźli, i dla mnie był bardzo ważny, ponieważ akurat wtedy zapisałem się do gimnazjum. Bardzo żywo pozostała mi w pamięci uroczystość inauguracji roku szkolnego, byłem w granatowym, szamerowanym węgierskim stroju. Zapamiętałem też słowa dyrektora – był to poważny człowiek, o wyglądzie, jak go teraz widzę, przywódcy, surowy, w binoklach i z pięknymi, siwymi wąsami. Na zakończenie, jak sobie przypominam, powołał się na starożytnego filozofa: – *Non scholae, sed vitae discimus* – „uczymy się nie dla szkoły, lecz dla życia", zacytował jego słowa. No więc pomyślałem, że stosując się do tych słów, powinienem był się uczyć wyłącznie o Auschwitz-Birkenau. Należało mi wszystko wyjaśnić, szczerze, uczciwie, dorzecznie. A ja przez cztery lata nie słyszałem w szkole na ten temat ani słowa. Ale, rzecz jasna, byłoby to krępujące i nie miałoby nic wspólnego z wykształceniem. Tak więc poniosłem stratę, bo dopiero tu musiałem zmądrzeć, dowiedzieć się, że jesteśmy w *Konzentrationslager*, w obozie koncentracyjnym. Ale nawet i te nie są jednakowe, jak mi wyjaśniono. Tu jest na przykład, uświadomiono mnie, *Vernichtungslager*, to znaczy obóz zagłady. Całkiem inaczej natomiast – dodawano natychmiast – jest w *Arbeitslager*, czyli obozie pracy: tam żyje się lekko, stosunki i wyżywienie są, jak

115

wieść niosła, nieporównywalne i to jest oczywiste, w końcu o co innego tam chodzi. No więc my też mamy się przenieść do takiego obozu, jeśli nie przeszkodzi nam w tym nic z tych rzeczy, które, przyznawano, w Oświęcimiu zawsze mogą się zdarzyć. W żadnym wypadku nie należy zgłaszać się do lekarza, kontynuowano uświadamianie. Obóz dla chorych jest, nawiasem mówiąc, tam, tuż pod jednym z kominów, który wtajemniczeni nazywali między sobą krótko „dwójką”. Niebezpieczeństwo kryje się w wodzie, w nieprzegotowanej wodzie, na przykład w takiej, jaką sam piłem po drodze ze stacji do łaźni – ale w końcu skąd mogłem wiedzieć. Ani słowa, była tam wprawdzie tablica, nie przeczę, no ale chyba żołnierze też powinni nam byli zwrócić uwagę, tak mi się wydawało. Ale – przyszło mi na myśl – przecież dobrze się czuję i dotychczas nie słyszałem też, żeby któryś z chłopaków się skarżył.

Później tego dnia zaznajomiłem się z innymi informacjami, widokami, zwyczajami. Ogólnie mogę powiedzieć, że po południu mówiło się już więcej o naszych widokach na przyszłość, możliwościach i nadziejach niż o sterczącym tu kominie. Chwilami jakby go wcale nie było, nie zwracaliśmy na niego uwagi; ludzie mówili, że wszystko zależy od kierunku wiatru. Tego dnia widziałem też po raz pierwszy kobiety. Pokazywali je gromadzący się w podnieceniu przy drutach ludzie: naprawdę tam były, choć z daleka, z drugiej strony dzielącego nas pasa gliniastej ziemi, trudno je było zobaczyć, a co dopiero rozpoznać w nich kobiety. Trochę się ich nawet przestraszyłem i zauważyłem też, że wszyscy w pobliżu mnie po pierwszej radości, podnieceniu odkryciem, jakoś bardzo przycichli. Tylko gdzieś z bliska uderzyła mnie uwaga, wypowiedziana głuchym i lekko drżącym głosem: - Łyse. - I w tej wielkiej ciszy po raz pierwszy doleciała mnie z podmuchami lekkiego, letniego wiatru cieniutka, pskliwa i ledwie dosłyszalna, ale bez najmniejszej wątpliwości pokojowa, wesoła muzyka, która w połączeniu z tym widokiem jakoś nas, mnie także, zadziwiła. Najpierw stałem dalej, wtedy jeszcze nie wiedząc, na co czekam, w jednej z ostatnich dziesiątek przed naszym barakiem - zresztą tak samo jak przed wszystkimi innymi barakami wyczekiwali wszyscy inni więźniowie: z boku, z przodu i z tyłu, i gdziekolwiek spojrzeć - i po raz pierwszy zdjąłem, jak mi kazano, czapkę z głowy, podczas gdy szosą wolnym, bezgłośnym ślizgiem w miękkim mroczniejącym powietrzu zbliżały się na rowerach trzy żołnierskie sylwetki; to był w jakimś sensie piękny, musiałem przyznać, surowy widok. Wtedy też przyszło mi na myśl: no proszę, jak dawno już właściwie nie widziałem żołnierzy. Tyle że się zdziwiłem, bo w tych ludziach, którzy tak sztywno, tak lodowato i jakby z nieosiągalnej wysokości wysłuchali - jeden notując coś w podłużnym notesie - z tamtej strony szlabanu tego, co stojąc po tej stronie, powiedział im nasz blokowy (on też trzymając czapkę w ręce), bo w tych niemal złowróżbnych władcach, którzy bez jednego słowa, dźwięku, skinienia głową pomknęli już dalej pustą szosą, bardzo trudno było rozpoznać grzecznych i pogodnych żołnierzy, którzy dziś rano przyjęli nasz pociąg. Jednocześnie dobiegł mnie cichy szept; po mojej prawej stronie ujrzałem wysunięty profil i łuk wypukłej klatki piersiowej. To był dawny oficer. Szepnął, niemal nie poruszając wargami: – Wieczorna kontrola stanu osobowego – lekko kiwając głową, z uśmiechem, z miną mędrca, dla którego wszystko tu odbywa się w sposób zrozumiały, doskonale przejrzysty i jakby niemal zgodny z jego wolą. I wtedy po raz pierwszy zwróciłem uwagę – bo wciąż stojących zastał nas zmrok – na barwę tutejszego nieba, a także na coś osobliwego: sztuczne ognie, prawdziwy fajerwerk iskier i płomieni na jego całej lewej połowie. Ludzie wokół mnie szeptali, mruczeli, powtarzali: – Krematoria!... – ale już raczej z podziwem należnym zjawiskom natury. Później: *abtreten*, i jakbym trochę zgłodniał, ale dowiedziałem się, że na kolację był chleb, a ten cały zjadłem już rano. Natomiast jeśli chodzi o barak, o „blok", to okazało się, że jest to całkowicie puste, nieumeblowane, nawet bez lampy pomieszczenie o cementowej podłodze, gdzie sprawa nocnego spoczynku mogła być rozwiązana tylko tak samo jak w żandarmskiej stajni – oparłem plecy o golenie jakiegoś siedzącego za mną chłopaka, o moje zaś opierał się ten, który siedział przede mną; ponieważ jednak liczne przeżycia, doświadczenia i wrażenia sprawiły, że byłem już zmęczony i śpiący, szybko pogrążyłem się we śnie.

Z następnych dni – podobnie jak z tych, które spędziłem w cegielni – zostało mi mniej szczegółów, może tylko raczej ich charakter, jakieś, powiedziałbym, ogólne wrażenie. Jednak trudno byłoby mi je określić. W tych dniach też były wciąż nowe informacje, obrazy i doświadczenia. Raz czy dwa przejęło mnie chłodem to szczególne, obce uczucie, którego doznałem po raz pierwszy na widok kobiet, raz czy dwa zdarzyło mi się znaleźć w kręgu gapiących się na siebie ludzi o osłupiałych, wyciągniętych twarzach, którzy bezustannie zadawali sobie nawzajem pytanie: – I co wy na to? I co wy na to? – Odpowiedź była albo żadna, albo jedna: – Potworne. – Ale to nie jest to słowo, to nie jest dokładnie to wrażenie, oczywiście, z mojego punktu widzenia, którym naprawdę mógłbym określić Oświęcim. Wśród wieluset mieszkańców naszego bloku, jak się okazało, był też Pechowiec. Wyglądał nieco dziwnie, bo pasiak wręcz na nim wisiał, a zbyt obszerna czapka wciąż opadała mu na czoło. – I co wy na to? – wypytywał. – I co wy na to? – ale, rzecz jasna, niewiele mieliśmy mu do powiedzenia. Z jego urywanych, mętnych wypowiedzi nie bardzo mogłem się połapać, o co mu chodzi. Nie wolno myśleć, to znaczy o czymś jednak można, a nawet trzeba myśleć bez przerwy: o tych, których

„zostawił w domu" i dla których „musi być silny",
ponieważ oni na niego czekają: o żonie i dwójce małych
dzieci – tyle mniej więcej zrozumiałem. W gruncie rzeczy największy problem stanowiła dla mnie, tak samo
jak w komorze celnej, w pociągu czy cegielni, długość
dni. Zaczynały się bardzo wcześnie, tuż po wschodzie
słońca w środku lata. Wtedy dowiedziałem się, jak
zimne są w Oświęcimiu poranki; kucaliśmy z chłopakami przy ścianie baraku od strony drutów, przytule-
ni do siebie, grzejąc się nawzajem, akurat naprzeciwko stojącego jeszcze ukośnie czerwonego słońca. Za
to parę godzin później szukaliśmy już raczej cienia.
W każdym razie tu też płynął czas, tu też był z nami
Kaletnik i padały dowcipy, tu też były, jeśli nawet nie
hacele, to kamyki, które regularnie wygrywał od nas
Jedwabny Chłopiec, i tu też Rozi proponował: – A teraz
zaśpiewajmy po japońsku... – Ponadto dwie wycieczki
dziennie do klozetu, rano także do mycia (podobne
pomieszczenie, tylko zamiast podestów były tam przez
całą długość trzy rzędy cynkowanych koryt i żelazna
rura, z której małych, gęsto rozmieszczonych dziurek
sączyła się woda), jedzenie, wieczorem apel, no i, oczywiście, informacje – to było to, czym musiałem się
zadowolić, porządek dnia. Do tego dołączały się różne
przeżycia: *Blocksperre*, „zamknięcie bloku", drugiego
wieczoru – wtedy po raz pierwszy widziałem, że nasz
blokowy się zniecierpliwił, powiedziałbym nawet, że
był rozdrażniony – i napływające z oddali dźwięki, cała

kakofonia dźwięków; jeśli się nie myliliśmy, można było w dusznej ciemności baraku rozróżnić krzyki, szczekanie psów i huk wystrzałów; albo widoczna przez druty kolumna, powracających z pracy, i musiałem uwierzyć w to, co twierdzili ludzie dookoła, bo i mnie się tak wydawało, że na skleconych prowizorycznie wózkach, które ciągnęli idący z tyłu, niewątpliwie leżą trupy. Wszystko to zaprzątało jakiś czas moją wyobraźnię, oczywiście. Z drugiej jednak strony, twierdzę, nie starczało tego na wypełnienie całego bezczynnego dnia. I wtedy zrozumiałem: w Oświęcimiu też można, jak widać, się nudzić – zakładając, że człowiek jest w uprzywilejowanej sytuacji. Wyczekiwaliśmy, jak dobrze pomyślę, właściwie na to, żeby nic się nie działo. Nuda razem z tym osobliwym wyczekiwaniem: sądzę, że to jest mniej więcej to wrażenie, tak, ono oznacza naprawdę Oświęcim – oczywiście dla mnie.

Muszę wyznać coś jeszcze: na drugi dzień zjadłem zupę, a trzeciego już nawet na nią czekałem. W ogóle rozkład posiłków był w Oświęcimiu dość dziwny. Z samego rana przywożono jakąś ciecz, którą nazywano kawą. Obiad, to jest zupa, zjawiał się zaskakująco wcześnie, gdzieś koło dziewiątej. Potem natomiast nie działo się w tym względzie nic, aż do zmierzchu, kiedy tuż przed apelem rozdawano chleb i margarynę. W taki to sposób już trzeciego dnia zawarłem bliższą znajomość z drażniącym uczuciem głodu, a skarżyły się na to wszystkie chłopaki. Tylko Palacz zauważył, że głód to dla niego nie nowina i że jemu raczej brak papierosów – a powiedział to w swój zwykły lakoniczny sposób i z wyrazem niemal satysfakcji na twarzy, co było w tej chwili odrobinę drażniące, i chłopaki, jak sądzę, dlatego tak szybko kazali mu się zamknąć.

Jakkolwiek może się to wydawać dziwne, kiedy później policzyłem, okazało się, że spędziłem w Oświęcimiu tylko trzy pełne dni. Czwartego wieczoru siedziałem znów w pociągu, w jednym z już znanych mi bydlęcych wagonów. Cel, jak się dowiedzieliśmy: Buchenwald, i choć byłem już trochę ostrożniejszy, jeśli chodzi o tak obiecujące nazwy, to jednak chyba nie mogłem się mylić co do tego wyrazu życzliwości, powiedziałbym, ciepła, jakiejś subtelności, jakiegoś rozmarzenia, jakiejś zawiści na twarzach więźniów, którzy nas żegnali. Widziałem, że jest wśród nich dużo starych, wszystkowiedzących więźniów, a także funkcyjnych, o czym świadczyły opaski, czapki i buty. To oni załatwiali wszystko przy pociągu, żołnierzy natomiast widziałem tylko paru, nieco dalej, na skraju rampy, samych szeregowców, i nic w tym cichym miejscu, w łagodnych barwach spokojnego wieczoru, nie przypominało – chyba najwyżej rozmiary – tej ruchliwej, rozgrzanej podnieceniem, słońcem, ruchem, głosami i ożywieniem, wibrującej i pulsującej w każdym punkcie stacji, na której niegdyś, to znaczy dokładnie trzy i pół dnia temu, wysiadłem.

Jeszcze mniej mogę tym razem powiedzieć o podróży: wszystko odbywało się w zwykły sposób. Teraz było nas nie sześćdziesięciu, tylko osiemdziesięciu, ale nie mieliśmy paczek, no i nie musieliśmy przejmować się kobietami. Tu też było wiadro, tu też było gorąco i tu też chciało nam się pić, ale byliśmy za to mniej narażeni na pokusy, to znaczy, jeśli chodzi o jedzenie: porcję – większą niż zwykle pajdę chleba z podwójnym kawałkiem margaryny i kawałkiem czegoś, co z wyglądu przypominało domowy serdelek, tak zwanego wurstu, rozdawano przy pociągu i tam od razu wszystko zjadłem, po pierwsze dlatego, że byłem głodny, po drugie, że w pociągu nie bardzo było gdzie to położyć, a przede wszystkim dlatego, że nam nie powiedziano, iż droga i tym razem potrwa trzy dni.

Do Buchenwaldu także zajechaliśmy rankiem, słonecznym, ale chłodniejszym z powodu chmur i podmuchów wiatru. Tutejsza stacja, przynajmniej po oświęcimskiej, sprawiała wrażenie przyjaznego, prowincjonalnego przystanku. Natomiast przyjęcie było mniej przyjazne: tu drzwi odciągnęli nie więźniowie, tylko żołnierze, i nawet – przyszło mi na myśl – była to właściwie pierwsza prawdziwa, powiedziałbym, otwarta okazja tak bliskiego, tak ścisłego kontaktu z nimi. Patrzyłem, jak szybko wszystko się dzieje, z jak przepisową dokładnością. Kilka krótkich rozkazów: *Alle raus!*, *Los!*, *Fünferreihen!*, *Bewegt euch!*, kilka klaśnięć, kilka trzaśnięć, ruch nogi w bucie z cholewą, jakiś cios kolbą, kilka zdławionych okrzyków – i już się uformowała, już posuwała się naprzód, jakby ją ciągnięto na sznurku, nasza kolumna, do której na końcu peronu, zawsze z tym samym półobrotem, dołączało z obu stron po dwóch żołnierzy; zwróciłem uwagę, że przy każdej piątej piątce, to znaczy przy każdych dwudziestu pięciu ludziach w pasiakach, szło ich po dwóch, w odległości mniej więcej metra, nie spuszczając nas ani na moment z oka, ale teraz już w milczeniu i tylko krokiem wyznaczając kierunek i tempo, jakby utrzymując w stałym ruchu tę całą nieustannie poruszającą się i falującą kolumnę, podobną trochę do gąsienicy, którą w dzieciństwie zapędzaliśmy za pomocą kawałka papieru do pudełka od zapałek; to wszystko trochę mnie oszołomiło i w pewnym sensie zachwyciło. Musiałem się nawet trochę uśmiechnąć, ponieważ nagle sobie przypomniałem, jak niedbale, powiedziałbym, wstydliwie, konwojowali nas węgierscy policjanci tamtego dnia w drodze na żandarmerię. I nawet wszelka przesada żandarmów była tylko hałaśliwym zgrywaniem się na ważniaków w porównaniu z tą milczącą, doskonale dopracowaną w każdym szczególe precyzją. I choć dobrze widziałem ich twarze, oczy czy kolor włosów, takie czy inne rysy, a nawet wady, powiedzmy, wypryski na skórze, jakoś nie umiałem się tego uchwycić, jakoś musiałem jednak zwątpić: czy naprawdę po obu stronach naszej kolumny kroczą nam podobni, czy istotnie są stworzeni z tej samej ludzkiej gliny? Ale przyszło mi na myśl, że mój tok rozumowania może być błędny, przecież ja nie jestem taki jak oni, oczywiście.

Ale i tak zaobserwowałem, że stopniowo wspinamy się po coraz łagodniejszym stoku, znów znakomitą, ale nie prostą jak w Oświęcimiu, tylko wijącą się drogą. W okolicy widziałem dużo zieleni, ładne budynki, w głębi kryjące się wśród drzew wille, parki, ogrody – cała okolica, jej rozmiary, wszystkie proporcje wydawały się umiarkowane, śmiem powiedzieć, przyjazne, przynajmniej dla oka nawykłego do Oświęcimia. Na prawym skraju szosy zrobił mi niespodziankę mały ogród zoologiczny: mieszkały w nim sarenki i inne zwierzęta, wśród nich wyliniały niedźwiedź brunatny – bardzo podniecony dźwiękiem naszych kroków, natychmiast przybrał proszącą pozę i zademonstrował nam ze swojej klatki parę zabawnych gestów, ale tym razem jego starania były, rzecz jasna, daremne. Potem minęliśmy wielki pomnik; stał w trawie, na łączce wcinającej się klinem między dwie nitki szosy, która się w tym miejscu rozgałęziała. Biały cokół i wykuta w tym samym białym, miękkim, ziarnistym i matowym kamieniu rzeźba wydawały mi się nieco prymitywne i jakby niestarannie wykonane. Po paskach wyżłobionych w odzieniu mężczyzny, jego łysej głowie, ale głównie po tym, co robił, od razu można było rozpoznać, że przedstawia więźnia. Pochylona w przód głowa, uniesiona wysoko w tył noga miały oznaczać bieg, a dwie splecione ręce spazmatycznym ruchem podtrzymywały od spodu, przyciskając go do brzucha, niesłychanej wielkości kamień w kształcie sześcianu. W pierwszej chwili patrzyłem na pomnik bez żadnego podniecenia, w taki sposób jak na dzieło sztuki, jak nas uczono w szkole, dopiero potem przyszło mi na myśl, że rzeźba na pewno ma jakiś sens i gdy się zastanowić, nie wróży nic dobrego na przyszłość. Ale już ujrzałem gęste druty, potem otwierającą się między dwoma masywnymi kamiennymi słupami ozdobną żelazną bramę, a nad nią oszklone coś, co przypominało trochę mostek kapitański na okręcie; zaraz później przeszedłem tę bramę: przybyłem do obozu koncentracyjnego w Buchenwaldzie.

Buchenwald leży w górzystej okolicy, na szczycie wzniesienia. Powietrze jest tu czyste, a urozmaicona okolica, ciągnące się dokoła lasy i czerwone dachy wiejskich domów w dolinach wprawiają w zachwyt. Łaźnia znajduje się po lewej. Więźniowie są w większości przyjacielscy, choć jakoś inaczej niż w Oświęcimiu. Po przybyciu tu także czeka na człowieka kąpiel, fryzjerzy, płyn dezynfekcyjny i przebieranie. Nawiasem mówiąc, rekwizyty szatni są dokładnie takie same jak w Oświęcimiu. Tyle że woda jest tu cieplejsza, fryzjerzy wykonują swoją pracę delikatniej, a człowiek w magazynie odzieży, choćby tylko przelotnym spojrzeniem, stara się jednak zdjąć z ciebie miarę. Potem dostajesz się na korytarz, przed okno z odsuwaną szybą, i pytają cię, czy nie masz przypadkiem złotych zębów. Wreszcie twój rodak, który mieszka tu od dawna i ma nawet włosy, zapisuje twoje nazwisko w wielkiej księdze i daje ci żółty płócienny trójkąt oraz szeroką szmatkę. Pośrodku trójkąta, na znak, że w końcu jesteś Węgrem, widnieje duża litera „U", a ze szmatki możesz odczytać swój wydrukowany numer, na przykład mój: 64 921. Należy, dowiedziałem się, jak najszybciej nauczyć się wymawiać ten numer wyraźnie i zrozumiale także po niemiecku, dzieląc go na sylaby w taki oto sposób: – *Vier-und-sechzig, neun, ein-und-zwanzig* – bo tak ma zawsze brzmieć moja odpowiedź w przypadku, gdyby mnie zapytano, kim jestem. Ale tego numeru nie wpisują ci tu pod skórę i kiedy jeszcze na początku, bojąc się tego, wypytujesz ludzi w okolicach łaźni, stary więzień, wysoko unosząc ręce i wbijając wzrok w sufit, zaprzecza: – *Aber Mensch, um Gotteswillen! Wir sind doch ja hier nicht in Auschwitz!* – mówi. Niezależnie od tego zarówno trójkąt, jak i numer muszą się do wieczora znaleźć na przodzie kurtki, i to przy pomocy wyłącznych posiadaczy igieł i nici: krawców; gdybyś nie miał ochoty wyczekiwać w kolejce do wieczora, możesz ich zachęcić do pracy częścią swojej porcji chleba lub margaryny, ale i bez tego chętnie szyją, przecież to w końcu ich obowiązek, jak mówią. W Buchenwaldzie jest chłodniej niż w Oświęcimiu, dni mają szarą barwę i często kropi deszcz. Ale w Buchenwaldzie zdarza się, że już na śniadanie robią człowiekowi niespodziankę w postaci

127

zupy z zasmażką; tu także nauczyłem się, że porcja chleba to normalnie jedna trzecia, a w niektóre dni nawet pół bochenka, a nie jak w Oświęcimiu normalnie ćwierć, a w niektóre dni jedna piąta, że obiadowa zupa jest gęsta, pływają w niej strzępki mięsa, a jak kto ma szczęście, może mu się trafić nawet cały kawałek, i tu również zapoznałem się z pojęciem *Zulage*; to w postaci kawałka wurstu albo łyżki marmolady możesz otrzymać obok zwyczajowej margaryny – słowa *Zulage* to używa obecny przy rozdzielaniu posiłków i w takich chwilach bardzo zadowolony oficer. W Buchenwaldzie mieszkaliśmy w namiotach, w *Zeltlager*, Lagrze Namiotowym, lub inaczej w *Kleinlager*, małym lagrze – spaliśmy na słomie i jeśli nawet wszyscy razem i było nam trochę ciasno, to przecież poziomo; a w drutach na końcu obozu nie ma prądu, ale tego, kto zechciałby nocą wyjść z namiotu, rozszarpią wilczury, ostrzeżono, i nie próbuj wątpić w powagę tego ostrzeżenia, jeśli cię nawet w pierwszej chwili dziwi. Natomiast przy drugich drutach, skąd zaczynają się mnożyć biegnące w górę, w bok i na wszystkie strony brukowane kocimi łbami ulice właściwego obozu, schludne zielone baraki i piętrowe kamienne domki, każdego wieczoru odbywa się handel, można tu kupić od starych miejscowych więźniów łyżki, noże, menażki, a nawet odzież; któryś z nich proponował mi sweter za jedyne pół bochenka, pokazywał, gestykulował, tłumaczył – ale jednak nie kupiłem, ponieważ latem niepotrzebny mi sweter, a uważałem, że do zimy jeszcze daleko. Wtedy również zobaczyłem, w ilu też kolorach noszą ludzie trójkąty i ile na nich różnych liter, i w końcu już nie całkiem mogłem się połapać, kto ma gdzie ojczyznę. Ale i tu w pobliżu słyszałem wiele węgierskich słów o prowincjonalnym akcencie, a także niejednokrotnie dochodził mnie dziwny język, z którym zetknąłem się po raz pierwszy w Oświęcimiu, kiedy ci dziwni więźniowie weszli do naszego pociągu. W Buchenwaldzie dla mieszkańców *Zeltlager* nie ma apelu, umywalnia znajduje się pod gołym niebem, dokładniej w cieniu rozłożystych drzew: ma taką samą konstrukcję jak oświęcimska, ale koryta są z kamienia, a najważniejsze, że z otworków w rurach przez cały dzień płynie, tryska lub przynajmniej sączy się woda, i tu po raz pierwszy od chwili, kiedy znalazłem się w cegielni, zdarzył mi się ten cud, że mogłem pić, kiedy mi się chciało, a nawet po prostu dla fantazji. W Buchenwaldzie też jest krematorium, oczywiście, ale tylko jedno, i nie jest ono celem, istotą, sensem obozu, lecz, śmiem twierdzić, pali się w nich jedynie zwłoki tych więźniów, którzy umierają w obozie, w normalnych warunkach życia obozowego, że tak powiem. W Buchenwaldzie – informacja, która do mnie dotarła, pochodziła od dawnych więźniów – najbardziej należy się wystrzegać kamieniołomu, choć, dodawano, już się go prawie nie eksploatuje, nie tak jak dawniej, za ich czasów. Obóz, dowiedziałem się, funkcjonuje od siedmiu lat, trafiają się tu jednak także więźniowie z jeszcze starszych obozów, z których zapamiętałem tylko kilka nazw: jakieś Dachau, Oranienburg i Sachsenhausen; wtedy też zrozumiałem ten pobłażliwy uśmiech na nasz widok na twarzach dobrze ubranych, stojących za drutami funkcyjnych, na których piersiach widziałem numery zaczynające się od dziesięciu czy dwudziestu tysięcy, a niekiedy cztero- lub nawet trzycyfrowe. W pobliżu naszego obozu, jak się dowiedziałem, znajduje się ważne dla kultury miasto Weimar, o którym uczyłem się w domu, oczywiście: tu żył i tworzył swoje dzieła między innymi także i ten człowiek, którego wiersz zaczynający się od słów *Wer reitet so spät durch Nacht und Wind?** znam na pamięć i który, jak mówiono, własnoręcznie zasadził drzewo – to drzewo, już teraz postarzałe i rozrośnięte, opatrzone tablicą pamiątkową i ogrodzone przez nas, więźniów, znajduje się gdzieś na terenie obozu. Kiedy to wszystko razem poskładałem, ani trochę nie było mi trudno zrozumieć tych twarzy ze stacji w Birkenau: mogę powiedzieć, że ja też szybko polubiłem Buchenwald.

Zeitz, a dokładniej obóz koncentracyjny nazwany od tej miejscowości, leży o noc drogi pociągiem towarowym, potem jeszcze w eskorcie żołnierzy dwadzieścia, dwadzieścia pięć minut marszu gościńcem wśród starannie uprawionych pól – co widziałem na własne

---

* Incipit ballady J.W. Goethego *Król olch*, w polskim przekładzie Wisławy Szymborskiej: „Noc padła na las, las w mroku spał...".

130

oczy. Miało to już być ostateczne miejsce osadzenia, przynajmniej dla nas, zapewniano, to znaczy dla tych, których nazwiska w porządku alfabetycznym są przed literą „M"; celem dla reszty natomiast jest obóz koncentracyjny w znajomo brzmiącym z historii Magdeburgu – poinformowano nas o tym jeszcze w Buchenwaldzie, a tu powiedzieli nam to czwartego wieczoru, na ogromnym placu oświetlonym lampami łukowymi, rozmaici funkcyjni z długimi listami w rękach, a ja się zmartwiłem, że będę się musiał z tego powodu rozstać z wieloma chłopakami, zwłaszcza z Rozim, ten alfabetyczny kaprys, według którego ładowano ludzi do pociągu, rozdzielił mnie też ze wszystkimi innymi, niestety.

Trzeba powiedzieć, że nic bardziej męczącego, nic bardziej wyczerpującego niż te uciążliwe sprawy, przez które musimy, jak widać, przechodzić za każdym razem, kiedy przybywamy do nowego obozu – w Zeitz było tak samo jak w Oświęcimiu i Buchenwaldzie. Nawiasem mówiąc, od razu się połapałem, że to mały, leżący na uboczu, można powiedzieć, prowincjonalny obóz koncentracyjny. Łaźni czy choćby krematorium – jak widać, przynależnych co ważniejszym obozom – na próżno bym tu szukał. Okolica to znów monotonna równina, tylko z końca obozu widać jakieś dalekie, niebieskie pasmo: Turyński Las, jak mi ktoś powiedział. Ogrodzenie z drutu kolczastego z czterema wieżami wartowniczymi w czterech rogach ciągnie się tuż za szosą. Sam obóz, nawiasem mówiąc, w kształcie czworokąta, to wielki zakurzony teren, z wolną przestrzenią przed bramą i od strony szosy, z pozostałych trzech stron otoczony namiotami, wielkimi jak hangary czy namioty cyrkowe; długie liczenie, wrzaskliwe rozkazy, poganianie nas i poszturchiwanie było, jak się okazało, tylko po to, żeby do każdego namiotu – bloku, jak mówiono – wyznaczyć i ustawić przed nim dziesiątkami przyszłych mieszkańców. Przed jednym ustawiono i mnie, dokładniej mówiąc, przed ostatnim po prawej w ostatnim rzędzie, jeśli patrzy się, stojąc twarzą do bramy, a plecami do namiotu, jak właśnie stałem – już bardzo długo, aż do odrętwienia, pod nieustającym ciężarem coraz mniej przyjemnego słońca. Daremnie próbowałem szukać wzrokiem chłopaków: wokół mnie byli sami obcy. Po mojej lewej stronie stał wysoki, chudy, nieco dziwny człowiek, który bez przerwy coś mruczał pod nosem i do tego kołysał się rytmicznie w przód i w tył, po prawej raczej niski i barczysty, który zabawiał się w ten sposób, że w regularnych odstępach czasu, dokładnie celując, pluł przed siebie w kurz. On też na mnie spojrzał, najpierw tylko przelotnie, za drugim razem już bardziej badawczo, skośnymi, żywymi oczami jak guziki. Pod nimi zobaczyłem śmiesznie mały, niemal pozbawiony kości nos, a obozowa czapka była zawadiacko zsunięta na bok. No – zainteresował się za trzecim razem i zauwa-

żyłem, że brak mu wszystkich przednich zębów - a ja to skąd przyjechałem. Kiedy powiedziałem, że z Budapesztu, bardzo się ożywił. Czy jest jeszcze Bulwar, czy chodzi jeszcze tramwaj szóstka, tak jak to wszystko „ostatnio widział", zapytał od razu. Powiedziałem mu:
- Pewnie, wszystko jest, jak było. - Wydawał się zadowolony. Był też ciekaw, jak „się tu znalazłem", a ja odparłem: - Zwyczajnie. Wyprosili mnie z autobusu. - I? - zapytał, a ja, że to już wszystko, potem przywieźli mnie tutaj. Jakby się trochę zdziwił, jakby nie bardzo się orientował, co się u nas dzieje, i chciałem go zapytać... ale już nie mogłem, ponieważ w tym momencie ktoś z drugiej strony rąbnął mnie w twarz.

Właściwie siedziałem już na ziemi, kiedy usłyszałem trzask uderzenia, a lewy policzek zaczął mnie palić od ciężkiego ciosu. Stał przede mną jakiś człowiek od stóp do głów w czerni: czarny strój jeździecki, czarny kapelusz z szerokim rondem, czarne włosy, a nawet czarny, cienki wąsik na śniadej twarzy, w słodkawym obłoku czegoś zadziwiającego - były to niewątpliwie perfumy. Z jego niewyraźnych okrzyków potrafiłem wyłowić tylko wielokrotnie powtarzane słowo *Ruhe*, to znaczy cisza. Nie ma co, sprawiał wrażenie wysokiej rangi funkcyjnego, co, każde z osobna, akcentowały zdobiące jego pierś wykwintnie niski numer, zielony trójkąt z literą „Z" oraz kołyszący się po drugiej stronie na metalowym łańcuszku srebrny gwizdek i białe, widoczne z daleka litery „LÄ" na ramieniu. Ale i tak byłem dość wściekły, bo w końcu nie przywykłem do bicia i mimo że siedziałem na ziemi, postarałem się, by zobaczył na mojej twarzy oznaki tego gniewu. Musiał zobaczyć, jak mi się wydaje, bo zauważyłem, że choć przez cały czas wrzeszczał, spojrzenie jego dużych, ciemnych, jakby skąpanych w oleju oczu, uważnie prześlizgujące się po mnie od nóg aż po twarz, z wolna łagodniało, aż w końcu stało się niemal przepraszające; to było jakieś nieprzyjemne, krępujące uczucie. Potem pognał dalej wśród rozstępujących się przed nim ludzi, z tą samą błyskawiczną szybkością, z jaką się tu przedtem pojawił.

Kiedy się potem dźwignąłem, sąsiad z prawej zaraz zapytał: – Bolało? – Odparłem, umyślnie głośno: – Ani trochę. – W takim razie – zaopiniował – byłoby dobrze, gdybyś wytarł nos. – Sięgnąłem: rzeczywiście, miałem czerwone palce. Pokazał, jak mam odchylić w tył głowę, żeby ustało krwawienie, a na temat czarnego zauważył: – Cygan. – Potem pomedytował chwilę i jeszcze dodał: – Nie da się ukryć, że ten facet to pedryl. – Nie całkiem zrozumiałem, co miał na myśli, więc spytałem o znaczenie tego słowa. Trochę się śmiał i wyjaśnił: – Pedał! – To już wydało mi się bardziej zrozumiałe. – Nawiasem mówiąc – zauważył jeszcze, wyciągając w bok rękę – jestem Bandi Citrom – na co ja też powiedziałem, jak się nazywam.

Jak się potem od niego dowiedziałem, dostał się tu z obozu pracy. Powołali go, gdy tylko przystąpiliśmy do wojny, miał akurat odpowiedni wiek, krew i zdrowie do służby pracy, i od czterech lat nie był już w domu. Był za to na Ukrainie, gdzie zbierał miny. - A zęby? - zainteresowałem się. - Wybili mi - odrzekł. Teraz ja się zdziwiłem: - Jak to?... - ale on nazwał to jedynie „długą historią" i niewiele ponadto powiedział o tej sprawie. W każdym razie „ściął się z plutonowym" i to wtedy złamała mu się także kość w nosie, tyle się od niego dowiedziałem. O zbieraniu min też wypowiedział się krótko: trzeba do tego łopaty, drutu, no i szczęścia, według niego. Dlatego też pod koniec zostało ich w kompanii karnej naprawdę niewielu, kiedy w miejsce węgierskich szeregowców pojawili się Niemcy. Byli zadowoleni z tej zmiany, bo zaraz zaproponowano im lżejszą pracę i lepsze traktowanie. Z pociągu oni też wysiedli w Oświęcimiu, oczywiście.

Chciałem go jeszcze trochę powypytywać, ale właśnie w tej chwili wrócili trzej mężczyźni. Przedtem, mniej więcej przed dziesięcioma minutami, z tego, co działo się w pierwszych szeregach, zwróciłem tylko uwagę na jedno nazwisko, dokładniej na zgodny chór wielu głosów, które tam z przodu wykrzykiwały to samo nazwisko: - Doktor Kovács! - na co skromnie, certując się, jakby posłuszny jedynie tym naglącym okrzykom, wystąpił korpulentny mężczyzna o miękkiej twarzy, z czaszką łysą po bokach od maszynki fryzjerskiej, pośrodku zaś z naturalną łysiną, dwóch następnych wskazał już on sam. Zaraz potem wszyscy trzej odeszli z czarnym i dopiero później dotarła do mnie wiadomość, że właśnie wybraliśmy sobie blokowego, jak mówiono: blockältestera, i stubedienstów, czyli – co gorliwie przetłumaczyłem Bandiemu, bo nie znał niemieckiego – sztubowych. Teraz ci trzej postanowili nauczyć nas kilku komend i związanych z nimi czynności, których – jak im zapowiedziano, oni zaś nam zapowiedzieli – nie będą więcej demonstrować, tylko raz. Niektóre z nich, jak *Achtung, Mützen... ab* i *Mützen... auf!*, zdążyłem już poznać, nowe było natomiast *Korrigiert!*, to znaczy „Popraw!" – rzecz jasna czapkę – a także *Aus!*, na które mamy trzaskać, jak nam powiedzieli, „czapką o uda". Wszystko to potem wielokrotnie przećwiczyliśmy. *Blockältester*, jak się dowiedzieliśmy, ma jeszcze jeden obowiązek: składa meldunek, co też kilka razy przed nami przećwiczył, niemieckiego żołnierza zaś odgrywał jeden ze sztubowych – krępy, nieco krostowaty, o długiej, lekko sinej twarzy. – *Block fünf* – usłyszałem – *ist zum Appell angetreten. Es soll zweihundertfünfzig, es ist...* – i tak dalej, dowiedziałem się więc, że jestem mieszkańcem bloku piątego, którego stan liczebny wynosi dwustu pięćdziesięciu ludzi. Po kilku powtórkach wszystko stało się jasne, zrozumiałe i łatwe do odegrania, jak sądziliśmy. Wtedy znów nastąpiły minuty bezczynności, a ponieważ zauważyłem na pustym placyku na prawo od naszego baraku jakiś nasyp, nad którym widniał długi drąg, za nim zaś znajdował się przypuszczalnie głęboki rów, zapytałem

Bandiego, czemu według niego może to służyć. – Latryna – odparł natychmiast, ledwie rzuciwszy okiem. Trochę kręcił głową, bo okazało się, że i tego słowa nie znam. – Wygląda na to, że dotychczas trzymałeś się maminej spódnicy – zauważył. Ale potem wytłumaczył mi jednym, dosadnym zdaniem prostym. I jeszcze dodał, że dokładnie zacytuję jego słowa: – No, kiedy nasramy pod samą górę, będziemy wolni! – Śmiałem się, on jednak zachowywał powagę, jakby był o tym przekonany, żeby nie powiedzieć: najzupełniej pewny. Nie mógł jednak dodać już nic więcej na ten temat, bo właśnie od strony bramy ukazały się nagle trzy surowe, eleganckie sylwetki żołnierzy zbliżające się bez pośpiechu, ale nadzwyczaj swobodnie, z niesamowitą pewnością siebie, na co *Blockältester* jakimś nowym, gorliwym, piskliwym tonem, którego ani razu nie słyszałem podczas prób, wrzasnął: – *Achtung! Mützen... ab!* – i wtedy, podobnie jak wszyscy, w tym i ja, on też zdarł czapkę z głowy, oczywiście.

6

Dopiero w Zeitz pojąłem, że także niewola ma swoje powszednie dni, więcej, prawdziwa niewola składa się właściwie z samych szarych dni powszednich. Jakbym już był w podobnej sytuacji, mianowicie kiedyś w pociągu, jeszcze w drodze do Oświęcimia. Tam też wszystko zależało od czasu, no i jeszcze od własnych możliwości człowieka. Tylko że w Zeitz – pozostając przy moim przykładzie – czułem, że pociąg się zatrzymał. Z drugiej jednak strony – i to też prawda – mknął z taką prędkością, że nie nadążałem śledzić licznych zmian przede mną, wokół mnie, a także we mnie. Jedno mogę powiedzieć z całą pewnością: przeszedłem całą drogę i uczciwie chwytałem się każdej szansy, jaka mi się na tej drodze trafiła.

W każdym razie wszędzie, nawet w obozie koncentracyjnym, bierzemy się najpierw do nowych spraw w dobrej wierze – przynajmniej ja tego doświadczyłem; na początku trzeba stać się dostatecznie dobrym więźniem, a resztę przyniesie przyszłość – taki z grubsza wyrobiłem sobie pogląd, na którym bazowałem, zresztą podobnie, jak to na ogół obserwowałem także u innych. Szybko się połapałem, że owe pozytywne opinie słyszane na temat instytucji *Arbeitslager* jeszcze w Oświęcimiu musiały się opierać na nieco przesadzonych informacjach. Jednak z rozmiaru tej przesady, a zwłaszcza z wszelkich płynących z niej wniosków nie od razu potrafiłem zdać sobie sprawę, tak samo jak inni, śmiem twierdzić: wszyscy inni, w przybliżeniu dwa tysiące więźniów, oczywiście z wyjątkiem samobójców. Ale samobójstwa zdarzały się rzadko, w żadnym wypadku nie były regularne ani w żadnym razie typowe, to przyznawali wszyscy. Do moich uszu też docierały wieści o jednym czy drugim takim wydarzeniu, słyszałem, jak ludzie dyskutowali, wymieniali na ten temat poglądy, niektórzy z jawną przyganą, inni z większym zrozumieniem, znajomi z litością – ogólnie jednak zawsze w taki sposób, w jaki człowiek stara się osądzić nader rzadki, daleki od nas, w pewnym sensie trudno wytłumaczalny, może trochę lekkomyślny, może trochę godny szacunku, ale na pewno zbyt pochopny postępek.

Najważniejsze, żeby się nie dać; zawsze jakoś to będzie, bo jeszcze tak nie było, żeby jakoś nie było, pouczył mnie Bandi Citrom, on zaś zdobył tę mądrość w obozie pracy. Pierwszą i najważniejszą rzeczą jest myć się niezależnie od okoliczności (równoległe rzędy koryt pod dziurkowanymi żelaznymi rurami pod gołym niebem, po tej stronie obozu, która wychodziła na szosę). Równie istotny jest oszczędny podział dziennej porcji. Z chleba, niech ta oszczędność kosztuje nas, ile chce, musi nam zostać kromka do porannej kawy, a nawet jeszcze kawałek – nie dajmy się skusić wędrującym ku kieszeni myślom, a zwłaszcza niemal sięgającym do niej palcom – na przerwę obiadową; tak i tylko tak unikniemy na przykład dręczącej myśli, że nie mamy co jeść. Jeśli zaś chodzi o nasze wyposażenie: że swego czasu wziąłem onuce za chustki do nosa; że na apelu, w marszu, wszędzie bezpieczny jest tylko środek szeregu; że nawet przy wydawaniu zupy nie należy stawać na początku, lecz raczej z tyłu, bo wtedy, oczywiście, dostaje się zupę z dna kotła, a więc gęstą; że jedną stronę trzonka łyżki możemy wyklepać w coś w rodzaju noża – tego wszystkiego i jeszcze wielu innych koniecznych w obozowym życiu rzeczy dowiedziałem się od Bandiego Citroma, podpatrywałem go i starałem się go naśladować.

Nigdy bym nie uwierzył, a przecież to fakt: nigdzie żaden ład życia, żadna wzorowość, powiedziałbym, moralność, nie jest tak ważna jak właśnie w niewoli, niewątpliwie. Wystarczy tylko rozejrzeć się po okolicy bloku pierwszego, gdzie mieszkają najdawniejsi więźniowie. Żółte trójkąty na piersiach mówią o nich to, co istotne, litera „L" zaś zdradza, że pochodzą z dalekiej Łotwy, a dokładniej z miasta o nazwie Ryga, jak się dowiedziałem. Widuje się wśród nich dziwne istoty, które z początku wprawiły mnie w lekkie osłupienie. Z pewnej odległości ci ludzie wydają się straszliwie starzy; z głowami w ramionach, sterczącymi nosami, w zwisających, brudnych obozowych łachach przypominają marznące nawet w najgorętsze dni lata kruki. Jakby każdym sztywnym, utrudzonym krokiem pytali: czy taki wysiłek wart jest zachodu? Te poruszające się znaki zapytania – bo nie określiłbym ich inaczej ani ze względu na ich wygląd, ani chyba rozmiary – w obozie nazywa się „muzułmanami", jak się dowiedziałem. Bandi Citrom zaraz mnie ostrzegł. – Jak człowiek na nich patrzy, traci chęć do życia – oznajmił i była w tym prawda, choć z czasem zrozumiałem, że do życia potrzeba jeszcze wielu innych rzeczy.

No a przede wszystkim uporu: jeśli nawet przejawiał się w różnych formach, to twierdzę, że nie brakowało go w Zeitz, a niekiedy, jak zauważyłem, bywał nam bardzo pomocny. Na przykład od Bandiego Citroma dowiedziałem się więcej o tym osobliwym towarzystwie, gronie, plemieniu czy jak ich nazwać, którego jeden egzemplarz – po lewej w rzędzie – zadziwił mnie w dniu przybycia. Usłyszałem, że nazywamy ich „Finami". Bo rzeczywiście, jeśli ich spytasz, skąd pochodzą, odpowiadają – jeśli w ogóle zaszczycą cię odpowiedzią – na przykład „fin* Minkács", przez co rozumieją Munkács, albo „fin Sadarada", to zaś może znaczyć – trzeba zgadywać – Sátoraljaújhely. Bandi zna to bractwo jeszcze z obozu pracy i ma o nim nie najlepsze zdanie. Wszędzie ich widać, w pracy, w marszu lub na apelu, jak kołysząc się rytmicznie w przód i w tył, bezustannie mamroczą pod nosem, niby jakiś niespłacalny dług, swoją modlitwę. Jeśli przy tym szepczą kącikiem ust na przykład: „Nóż do sprzedania", nie słuchamy ich. Tak samo, niezależnie od tego, jak to kusząco brzmi, zwłaszcza rano: „Zupa do sprzedania", bo jakkolwiek to dziwne, oni nie jedzą zupy ani nawet wurstu, w ogóle niczego, co jest niezgodne z religią. Ale w takim razie czym oni żyją? – zapytałby człowiek, a Bandi Citrom odpowiedziałby na to: nie należy się o nich martwić. I rzeczywiście, bo jak widać, żyją.

*Właśc. *fun* (jid.) – z.

Między sobą i z Łotyszami rozmawiają w jidysz, ale znają też niemiecki, słowacki i kto wie, jaki jeszcze: tylko węgierskiego nie znają, chyba że mowa o handlu, oczywiście. Pewnego razu, w żaden sposób nie udało mi się tego uniknąć, znalazłem się w ich komandzie. - *Reds du jidysz?* - zabrzmiało pierwsze pytanie. Kiedy im powiedziałem, że niestety, nie, skończyli ze mną, skompromitowałem się, patrzyli na mnie jak na powietrze albo raczej jakby mnie w ogóle tam nie było. Próbowałem ich zagadywać, zwrócić na siebie uwagę - na próżno. - *Du bist niszt kajn jid, du bist a szejgec* - potrząsali głowami, a ja się tylko dziwiłem, jak ci ludzie, w końcu na pewno oblatani w świecie handlu, mogą w tak niedorzeczny sposób upierać się przy czymś takim, co w końcowym efekcie przynosi im więcej szkody, więcej strat niż korzyści. Wtedy, tego dnia, wśród nich też odczuwałem chwilami to samo skrępowanie, to samo świerzbienie, niezręczność, które znałem jeszcze z domu, jakby nie wszystko było ze mną w porządku, jakbym nie całkiem odpowiadał ideałowi, słowem: to było jakoś tak, jakbym był Żydem pośród Żydów w obozie koncentracyjnym, co jednak wydawało mi się nieco dziwne.

Kiedy indziej Bandi Citrom trochę mnie zdumiał. Czy to w pracy, czy w wolnym czasie często słyszałem od niego i nawet się nauczyłem jego ulubionej piosenki, którą przywiózł ze służby pracy, z karnej kompanii. Zaczynała się od słów: „Zbieramy mi-ny na

Ukra-inie, / Lecz i tam nie tchórzymy, o nie", zwłaszcza zaś polubiłem ostatnią zwrotkę: „A gdy padnie towarzysz walki, dobry kolega, / list napiszemy do domu, / że / cokolwiek stanie się komu, / będziemy ci wierni, Ojczyzno, / po grób". Niezaprzeczalnie piękna i melancholijna, raczej powolna niż skoczna melodia, a także słowa robiły na mnie wrażenie, oczywiście – przywodziły mi na myśl tego żandarma z pociągu, który przypominał nam, że jesteśmy Węgrami; w końcu, jakkolwiek by na to patrzeć, ich też ojczyzna ukarała. Wspomniałem o tym kiedyś Bandiemu. Nie znalazł żadnego kontrargumentu, ale jakby był trochę zdziwiony, powiedziałbym, trochę zły. Nazajutrz natomiast przy jakiejś okazji z wielkim zapamiętaniem znów zaczął gwizdać, nucić, potem śpiewać, jakby o niczym nie pamiętał. Będzie jeszcze, powtarzał często, „deptać bruk ulicy Nefelejcs" – tam mianowicie mieszka i tę ulicę, a nawet numer domu, wspominał tyle razy i na tyle sposobów, że w końcu ja sam znałem wszystkie jej uroki i już niemal tylko tam ciągnęło mnie serce, choć właściwie istniała w mojej pamięci tylko jako jedna z dość odległych bocznych uliczek gdzieś w okolicach dworca Keleti. Często też opowiadał o innych miejscach i wskrzeszał je w mojej pamięci: o placach, alejach, domach, o zapalających się na nich i na rozmaitych wystawach powszechnie znanych hasłach i ogłoszeniach, czyli, jego słowami, o „peszteńskich światłach", i to musiałem sprostować, byłem zmu-

143

szony mu powiedzieć, że te światła już nie istnieją z powodu przepisu o zaciemnieniu i że bomby tu i ówdzie zmieniły panoramę miasta. Zamilkł, ale widziałem, że nie bardzo go zadowoliły moje wyjaśnienia. A nazajutrz, kiedy tylko nadarzyła się okazja, znów zaczął o światłach.

Ale kto zna wszystkie rodzaje uporu, a powtarzam, że mógłbym w Zeitz – gdybym mógł – wybierać między jeszcze wieloma jego odmianami. Słuchałem o przeszłości, o przyszłości, a zwłaszcza wiele, bardzo wiele – powiedziałbym nawet, że nigdzie tak jak właśnie wśród więźniów nie mówi się o tym – o wolności, i w końcu, jak sądzę, jest to łatwe do wytłumaczenia, oczywiście. Inni znów znajdowali jakąś specyficzną przyjemność w rzucaniu powiedzonkami, żartami, dowcipami. To też do mnie docierało. Jest taka godzina dnia między powrotem z fabryki a wieczornym apelem, specyficzna, zawsze ruchliwa i wyzwolona godzina, na którą zwykle w obozie czekałem i którą lubiłem – nawiasem mówiąc, to zarazem pora kolacji. Właśnie przedzierałem się przez rozmaite mrowiące się, handlujące, gawędzące grupki, kiedy ktoś na mnie wpadł, spod zbyt obszernej obozowej czapki patrzyły małe, zatroskane oczka nad charakterystycznym nosem w charakterystycznej twarzy. – Patrzcie – powiedzieliśmy jednocześnie, on na mój widok, a ja na jego: poznałem Pechowca. Wyglądał na bardzo zadowolonego i dopytywał się, gdzie mam kwaterę. Powiedziałem: – W bloku piątym.

– Szkoda – zmartwił się, bo on mieszka gdzie indziej. Poskarżył się, że „nie widuje znajomych", a kiedy mu powiedziałem, że i ja nie za bardzo, nie wiem dlaczego, jakoś posmutniał. – Gubimy się, wszyscy się gubimy – zauważył i te słowa, to jego kręcenie głową miały dla mnie jakiś niejasny sens. Potem nagle rozpogodził się. I zapytał: – Wie pan, co tu oznacza – i wskazał na swoją pierś – litera „U"? – Powiedziałem mu: – Jakżebym miał nie wiedzieć: Ungar, czyli Węgier. – Nic podobnego – odparł. – *Unschuldig*, to znaczy niewinny – zaśmiał się krótko, a później jeszcze długo w zamyśleniu kiwał głową, jakby ta myśl sprawiała mu przyjemność, nie wiem dlaczego. Obserwowałem to także u innych, którzy później opowiadali mi ten sam dowcip, z początku dość często: jakby czerpali z niego jakieś rozgrzewające, dające siłę uczucie – świadczył o tym przynajmniej ten zawsze jednakowy śmiech, potem to samo łagodnienie twarzy, bolesny uśmiech i zarazem jakiś wyraz zachwytu, z którym za każdym razem opowiadali i przyjmowali ten dowcip, i to było tak, jakby słuchało się chwytającej za serce muzyki czy szczególnie wzruszającej historii.

Ale jednak u nich też obserwowałem to samo staranie, te same dobre intencje: im też chodziło tylko o to, aby okazać się dobrymi więźniami. Nie ma co, to było w naszym interesie, tego wymagały warunki, do tego zmuszało nas, że tak powiem, życie. Jeśli na przykład szeregi były wzorowo wyrównane i zgadzał się stan liczebny, apel trwał krócej – przynajmniej na początku. Jeśli przykładaliśmy się do pracy, mogliśmy na przykład uniknąć bicia – przynajmniej na ogół.

A jednak, szczerze mówiąc, przynajmniej na początku kierowała nami, jak sądzę, nie tylko chęć tego zysku, tej korzyści. Weźmy choćby pracę, pierwsze popołudnie pracy, żeby od razu od tego zacząć: mieliśmy wyładować wagon szarego szutru. Jeśli Bandi Citrom, kiedy za pozwoleniem strażnika, starszego i na pierwszy rzut oka raczej poczciwego żołnierza, rozebraliśmy się (wtedy po raz pierwszy widziałem jego żółtobrązową skórę, z pracującymi pod nią potężnymi, gładkimi mięśniami i ciemniejszą plamą znamienia pod lewą piersią), zawołał: – No, pokażmy im, co potrafią peszteńskie chłopaki! – to brał to najpoważniej na świecie. I mogę powiedzieć, że choć po raz pierwszy w życiu miałem w rękach widły, to nasz strażnik, a także zachodzący tu niekiedy poniuchać człowiek o wyglądzie majstra, pewnie ktoś z fabryki, sprawiali wrażenie dość zadowolonych, co tylko spotęgowało jeszcze nasz zapał, oczywiście. Kiedy natomiast z czasem zapiekły mnie dłonie i zobaczyłem, że miejsca, skąd wyrastają palce, są całe we krwi, i kiedy jednocześnie strażnik zapytał: – *Was ist denn los?* – a ja ze śmiechem pokazałem mu ręce, na co on, od razu pochmurniejąc i jeszcze szarpiąc pasek karabinu, rozkazał: – *Arbeiten! Aber los!* – to w końcu całkiem zrozumiałe, że straciłem całe zainteresowanie robotą. Odtąd myślałem już tylko o jednym: jak uszczknąć chwilę odpoczynku, kiedy na mnie nie patrzy, co robić, aby ładować jak najmniej na łopatę czy widły, i twierdzę, że poczyniłem znaczne postępy w takich fortelach, a w każdym razie zyskałem w nich większą biegłość, wprawę i praktykę niż w jakiejkolwiek wykonywanej pracy. „No bo w końcu kto na tym korzysta?", jak kiedyś, pamiętam, zapytał Ekspert. Twierdzę: był tu jakiś problem, jakaś hamująca przeszkoda, błąd, niedopatrzenie. Jedno słowo uznania, jeden znak, jakiś rozbłyskujący tu i ówdzie promień, nie więcej, zaledwie jedna iskra bardziej by podziałała, przynajmniej na mnie. Przecież właściwie, jak się dobrze zastanowić, co my osobiście możemy do siebie mieć? – w końcu godność zostaje nam nawet w niewoli; kto nie rościłby sobie potajemnie pretensji do odrobiny uprzejmości, i doszedłem do wniosku, że dalej byśmy zaszli przy odrobinie zrozumienia.

Ale jednak wszystkie te doświadczenia to jeszcze nic. Na razie pociąg jechał; kiedy patrzyłem przed siebie, gdzieś w dali majaczył mi cel, i w pierwszym okresie – w złotych czasach, jak nazwaliśmy go później z Bandim Citromem – Zeitz przy odpowiednim stylu życia i odrobinie szczęścia wydawał się całkiem znośnym miejscem – przejściowo, dopóki nie wyzwoli nas od niego przyszłość, oczywiście. Dwa razy w tygodniu pół chleba, trzy razy jedna trzecia i tylko dwa razy ćwiartka. Często *Zulage*. Raz w tygodniu gotowane ziemniaki (sześć sztuk wrzuconych do czapki, do których jednak

Zulage, zrozumiałe, nie przysługuje); raz w tygodniu makaron na mleku. Pierwszą złość wywołaną wczesną pobudką szybko rozładowuje zroszony letni świt, pogodne niebo, no i parująca kawa (bądź rankiem czujny w latrynie, bo zaraz rozlegają się okrzyki: *Appell!*, *Antreten!*). Poranny apel jest zawsze krótki, bo przecież czeka, nagli robota. Jedna z bocznych fabrycznych bram, z której możemy korzystać my, więźniowie, znajduje się na lewo od szosy, na piaszczystym gruncie, jakieś dziesięć, piętnaście minut marszu od obozu. Już z daleka szum, brzęk, warkot, sapanie, trzy, cztery kraczące kaszlnięcia żelaznych gardeł: wita nas fabryka z główną drogą i przecznicami, wlokącymi się żurawiami, pożerającymi ziemię maszynami, z licznymi szynami i labiryntem kominów, wież chłodniczych, sieci rur i budynków, w których mieszczą się warsztaty – to właściwie prawdziwe miasto. Liczne leje, rowy, ruiny i zwały gruzu, połupane rynsztoki i cała masa poskręcanych kabli świadczą o odwiedzinach samolotów. Ta fabryka, dowiedziałem się już podczas pierwszej przerwy obiadowej, to Brabag, co jest skrótem „notowanym nawet swojego czasu na giełdzie" od Braunkohle-Benzin-Aktiengesellschaft, jak mi powiedziano, i ktoś pokazał mi nawet rosłego człowieka, który opierając się na łokciu, posapywał ze zmęczenia i wyławiał właśnie z kieszeni jakiś pogryziony kawałek chleba. To od niego pochodziła ta informacja i później zawsze z tą samą wesołością opowiadało się w obozie –

choć sam nigdy o tym nie mówił – że niegdyś on też był posiadaczem paru tutejszych akcji. Usłyszałem – i pewnie dlatego zapach od razu przypomniał mi zakłady na Csepel – że tu też produkuje się benzynę, jednak nie z ropy naftowej, tylko dzięki specjalnemu wynalazkowi z węgla brunatnego. Myśl wydała mi się interesująca, ale rozumiałem oczywiście, że nie tego się tu ode mnie oczekuje. Jednak możliwości *Arbeitskommando* to zawsze pasjonujący temat. Jedni ślubują dozgonną wierność łopacie, inni raczej kilofowi, niektórzy widzą zalety w układaniu kabli, podczas gdy znów inni wolą obsługę mieszarki do zaprawy murarskiej, i kto wie, jaka to tajemnicza przyczyna, jakie to podejrzane upodobania ciągną ludzi właśnie do pracy w kanale, po pas w żółtym błocie lub w czarnej ropie – choć nikt nie wątpi w istnienie takiej przyczyny, ponieważ ci ludzie to na ogół Łotysze, no i jednomyślni z nimi „Finowie". Opadająca z góry i przeciągająca się melancholijnie, długa i wabiąca melodia słowa *antreten* rozbrzmiewa tylko raz dziennie: mianowicie wieczorem, kiedy ogłasza chwilę powrotu do domu. W tłumie wokół umywalni Bandi Citrom jednym okrzykiem: – Rozejść się, muzułmanie! – zdobywa miejsce, i nie ma takiej części mojego ciała, którą mógłbym ukryć przed jego badawczym wzrokiem. – Umyj też brzuch, tam mieszkają wszy! – mówi, a ja ze śmiechem spełniam to polecenie. Teraz zaczyna się ta godzina: czas na drobne interesy, na żarty czy skargi, odwie-

149

dziny, rozmowy, handel, wymianę informacji, a może to przerwać tylko szczęk kotłów, elektryzujący nas wszystkich, sygnał pobudzający do szybkiego działania. Potem: – Apel! – i tylko kwestia szczęścia, jak długo potrwa. A po godzinie, dwóch, no, najwyżej trzech (tymczasem zapalono już reflektory) wielki bieg wąskim przejściem pośrodku namiotu, które po obu stronach wyznaczają rzędy trzypiętrowych pudeł, w tutejszym języku boksy, miejsca do spania. Potem przez jakiś czas namiot wypełnia półmrok i szept – to czas opowiadań o przeszłości, o przyszłości, o wolności. Mogłem się dowiedzieć: w domu każdy był przykładnie szczęśliwy i przeważnie także bogaty. Wysłuchiwałem, co kto jadał na kolację, a niekiedy nawet docierały do mnie poufnie brzmiące męskie informacje z innego zakresu. Wtedy też ktoś powiedział – o czym później nigdy już nie słyszałem – że do zupy dosypuje się tu z pewnych powodów środka uspokajającego o nazwie brom – przynajmniej tak twierdzili niektórzy, przybierając porozumiewawczy i zawsze trochę tajemniczy wyraz twarzy. Bandi Citrom wspomina w takich chwilach ulicę Nefelejts, światła lub „peszteńskie baby" – ja w tej materii niewiele mam do powiedzenia, oczywiście. Kiedyś zwróciłem uwagę na jakieś podejrzane pomruki, załamującą się pieśń, przytłumiony blask świecy w kącie namiotu, i dowiedziałem się, że jest piątek i że to kapłan, rabin. Popędziłem górą po pryczach, żeby go zobaczyć, i w ludzkim kręgu to naprawdę był on, rabin, którego znałem. Odprawiał modły tylko tak, w pasiaku i więziennej czapce, i nie za długo go słuchałem, ponieważ bardziej chciało mi się spać niż modlić. Mieszkamy z Bandim Citromem na najwyższym piętrze. Dzielimy nasz boks z jeszcze dwoma współlokatorami, obydwaj są młodzi, sympatyczni i tak samo pochodzą z Pesztu. Za piernaty służy nam drewno, na nim słoma, a na słomie płócienny worek. Koc mamy jeden na dwóch, ale w końcu latem i to za dużo. Jeśli chodzi o miejsce, to nie ma go zbyt wiele: kiedy ja się odwracam, sąsiad też musi się odwrócić, kiedy sąsiad podciągnie nogę, ja też muszę zrobić to samo. Ale i tak spaliśmy głębokim snem, który o wszystkim pozwalał zapomnieć – to były złote czasy, naprawdę.

Zmiany zacząłem dostrzegać nieco później – zwłaszcza w wyżywieniu. Mogłem, mogliśmy tylko zgadywać, gdzie uleciała tak szybko epoka półbochenków na głowę: w jej miejsce wkroczyła nieodwracalnie epoka jednej trzeciej lub ćwierć bochenka i już *Zulage* nie był wcale tak oczywisty jak dawniej. Wtedy to zaczął zwalniać pociąg, aż wreszcie zatrzymał się całkowicie. Próbowałem patrzeć przed siebie, ale widok był tylko na jutro, a jutro było takim samym dniem, to znaczy dokładnie takim samym dniem – jeśli miało się szczęście, oczywiście. Traciłem humor, traciłem zapał, z każdym dniem trudniej było mi wstać, z każdym dniem bardziej zmęczony waliłem się

151

na pryczę. Byłem trochę bardziej głodny, ruszałem się coraz bardziej jak z musu, wszystko stawało się coraz cięższe i nawet ja sam zaczynałem stawać się dla siebie ciężarem. Już wcale nie zawsze byłem, byliśmy – śmiem twierdzić – dobrymi więźniami, a że tak jest, mogliśmy zaobserwować po zachowaniu żołnierzy, no i oczywiście naszych funkcyjnych, a wśród nich na pierwszym miejscu, już choćby z powodu jego funkcji, lagerältestera.

Jego w dalszym ciągu zawsze i wszędzie widuje się tylko w czerni. To on daje rankiem sygnał pobudki, on wszystko kontroluje wieczorem jako ostatni, a o jego mieszkaniu, które znajduje się gdzieś w pobliżu bramy, opowiadają ludzie różności. Jest niemieckojęzyczny, z pochodzenia Cygan – my też między sobą nazywamy go zawsze Cyganem – i to pierwszy powód, dla którego na miejsce pobytu wyznaczono mu obóz koncentracyjny, drugim zaś jest ta odbiegająca od normy skłonność jego natury, którą Bandi Citrom zauważył już na pierwszy rzut oka. Natomiast zielony kolor trójkąta informuje, że zabił i obrabował starszą od niego i – jak mówią – bardzo majętną damę, która go utrzymywała: tak oto po raz pierwszy w życiu mogłem obejrzeć na własne oczy prawdziwego mordercę. Jego obowiązki polegają na pilnowaniu w obozie prawa, pracy, porządku i sprawiedliwości – to w pierwszej chwili nie nazbyt przyjemna myśl, doszliśmy wszyscy do wniosku, ja też. Z drugiej jednak strony, musiałem przyznać, że odcienie mogą się w pewnym punkcie pozacierać. Ja na przykład miałem więcej kłopotów z jednym ze sztubowych, choć to naprawdę przyzwoity człowiek. Dlatego też głosowali na niego dobrzy znajomi, ci sami, którzy wybrali na blockältestera doktora Kovácsa (tytuł, jak się dowiedziałem, oznaczał w tym wypadku nie lekarza, lecz adwokata). Jak słyszałem, on i dwaj sztubowi pochodzą z jednego miejsca, z pięknej miejscowości nad Balatonem w gminie Siófok. Ten, o którym mówię, ryży, nazywa się, każdy wie, Fodor. Co do lagerältestera, prawda to czy nie, ale zdania są zgodne: używa kija lub pięści dla przyjemności, dlatego że, przynajmniej według obozowej plotki, daje mu to rozkosz, podobno właśnie taką – jak twierdzą bardziej oblatani – jakiej szuka u mężczyzn i chłopców, a czasami nawet i u kobiet. Przy tym porządek jest nie pretekstem, lecz prawdziwym warunkiem i interesem ogółu, gdyby z konieczności – nigdy nie omieszka o tym wspomnieć – musiał przypadkiem uciec się do tych metod. Porządek nigdy nie jest idealny i jakby coraz mniejszy. Dlatego jest zmuszony tłuc tych, którzy się pchają, długim trzonkiem chochli, a przez to wszyscy – gdybyśmy czasem nie wiedzieli, jak należy podchodzić do kotła, przypasowując naczynie do określonego miejsca jego krawędzi – możemy się znaleźć w grupie poszkodowanych, którym łatwo może polecieć z ręki menażka i zupa, bo – jasne, i sygnalizuje to także pomruk aprobaty za jego plecami – przeszkadza mu to w pracy, a więc także i nam, następnym w kolejce, dlatego ściąga z pryczy za nogi śpiochów, przecież w końcu za winę jednego pokutują inni, ci, co nic nie zawinili. Różnicę, przyznawałem, trzeba oczywiście widzieć w intencjach, w pewnym punkcie jednak, powtarzam, mogą się pozacierać odcienie, natomiast rezultat pozostaje taki sam, jakkolwiek by na to patrzeć.

Poza nimi był tu jeszcze niemiecki kapo w żółtej opasce i zawsze nienagannie wyprasowanym pasiaku, którego na szczęście nieczęsto widywałem, później ku memu wielkiemu zdumieniu także wśród nas zaczęły się ukazywać czarne opaski, na których widniały skromniejsze napisy *Vorarbeiter*. Byłem obecny przy tym, jak jeden z mieszkańców naszego bloku, dotąd nie bardzo rzucający się w oczy i jak pamiętam, także przez innych nieuważany za kogoś nadzwyczajnego, tyle że z silną budową ciała, pojawił się przy kolacji z nowiutką opaską na rękawie. Ale teraz, musiałem przyznać, nie był już tym samym nieznanym człowiekiem: ledwie mogli się do niego dopchać znajomi i przyjaciele, ze wszystkich stron płynęły ku niemu wyrazy radości, gratulacje, życzenia szczęścia w związku z awansem, wyciągały się dłonie, a on niektórym ściskał rękę, innym, widziałem, nie, i ci później odchodzili chyłkiem. A potem nastąpiła najbardziej uroczysta – przynajmniej dla mnie – chwila, kiedy w centrum uwagi i w jakiejś pełnej szacunku, powiedziałbym, nabożeństwa, ciszy, z wielką godnością, bez odrobiny pośpiechu, w krzyżowym ogniu zagapionych lub zawistnych spojrzeń podszedł po drugą porcję, przysługującą mu teraz przy nowej randze, i to z dna kotła, którą sztubowy odmierzył mu tym razem jak równemu sobie.

Innym razem uderzyły mnie w oczy litery na ramieniu człowieka o sztywnym chodzie i wypukłej klatce piersiowej, od razu go poznałem: oficer z Oświęcimia. Pewnego dnia dostałem się pod jego rękę i twierdzę, że to prawda – za swoich ludzi skoczyłby nawet w ogień, nie ma natomiast u niego miejsca dla próżniaków i takich, co to cudzymi rękami wygrzebują kasztany z ognia, jak sam oznajmił na początku pracy. Nazajutrz jednak prześlizgnęliśmy się z Bandim Citromem do innego komanda.

Rzuciła mi się w oczy jeszcze jedna zmiana, i to zwłaszcza w osobach postronnych, a więc ludziach z fabryki, naszych strażnikach, a głównie w niektórych funkcyjnych w obozie; zauważyłem mianowicie, że stali się inni. Na początku nie bardzo wiedziałem, jak mam to sobie tłumaczyć: wszyscy jakoś wypięknieli, przynajmniej w moich oczach. Dopiero potem z takich czy innych oznak zrozumiałem, że to my musieliśmy się zmienić, oczywiście, tylko to było mi trudniej dostrzec. Jeśli na przykład patrzyłem na Bandiego Citroma, nie widziałem w nim nic szczególnego. Ale próbowałem go sobie przypomnieć, porównać jego obecny wygląd z tym, jaki był przy naszym pierwszym spotkaniu, po prawej w szeregu, albo w pracy z tymi ścięgnami i mięśniami, które przywodziły na myśl ryciny w podręcznikach do przyrody, wyskakiwały i znikały, uginały się sprężyście lub twardo napinały, chodziły w górę i w dół, i tu już musiałem trochę zwątpić. Dopiero wtedy zrozumiałem, że czas niekiedy zwodzi nasz wzrok, jak się wydaje. Tak samo musiał umknąć mojej uwagi ten proces - choć w rezultacie bardzo wymierny - dotyczący całych rodzin, na przykład rodziny Kollmanów. W obozie wszyscy ich znali. Pochodzili z miejscowości o nazwie Kisvárda, skąd jest tu wielu ludzi, i z tego, jak się do nich lub o nich odzywali, wywnioskowałem, że coś musieli u siebie znaczyć. Było ich trzech: niski, łysy ojciec i dwóch chłopaków, większy i mniejszy, niepodobni do ojca, ale do siebie - i dlatego myślę, że zapewne do matki - jak dwie krople wody, jednakowe jasne szczeciny, jednakowe niebieskie oczy. Oni trzej zawsze chodzili razem, jeśli tylko było to możliwe, ręka w rękę. Otóż po pewnym czasie zauważyłem, że ojciec zostaje w tyle i synowie muszą mu pomagać, ciągnąć go za sobą, trzymając za ręce. Znów upłynął jakiś czas - i nie było już z nimi ojca. Wkrótce większy musiał tak samo ciągnąć mniejszego. Później ten mniejszy także znik- nął i w końcu wlókł się już tylko większy, a ostatnio jego też nigdzie nie widzę. Wszystko to, powtarzam, docierało do mnie, tyle że nie tak jak później, kiedy -

jeśli się nad tym zastanawiałem - mogłem to sobie mniej więcej podsumować, wyświetlić obrazy, stopień za stopniem, przyzwyczajając się do każdego kolejnego z osobna. Czyli właściwie nic do mnie nie docierało. A przecież ja sam także musiałem się zmienić, bo Kaletnik, którego pewnego dnia zobaczyłem wychodzącego z namiotu kuchennego - i nawet się dowiedziałem, że znalazł tam sobie miejsce w godnym zazdrości komandzie kartoflarzy - za nic nie chciał mnie na początku poznać. Przypomniałem mu, że jestem „od Shella", i zapytałem, czy nie znalazłoby się przypadkiem w kuchni coś do zjedzenia, może jakieś resztki, ewentualnie z dna kotła. Odparł, że zobaczy i że wprawdzie dla siebie niczego nie chce, spytał jednak, czy nie mam jakichś papierosów, bo *Vorarbeiter* z kuchni „szaleje za papierosami", jak powiedział. Wyznałem: nie mam, i wtedy sobie poszedł. Wkrótce pojąłem, że szkoda na niego czekać i że przyjaźń też może się gdzieś kończyć, a granice wytyczają prawa życia - bardzo naturalnie, nawiasem mówiąc, nie ma co. Innym z kolei razem to ja nie poznałem osobliwego stworzenia: kusztykało sobie właśnie, przypuszczalnie do latryny. Obozowa czapka spadająca na uszy, twarz pozapadana, cała w góry i doły, nos żółty, na końcu drgająca kropelka wody. - Jedwabny Chłopak! - zawołałem; nawet na mnie nie spojrzał. Tylko powłóczył nogami, podtrzymując ręką spodnie. No proszę, nie uwierzyłbym. Innym znów razem spotkałem kogoś jeszcze bardziej żółtego i jeszcze chudszego, z trochę jeszcze większymi i bardziej rozgorączkowanymi oczami – wydaje mi się, że to był Palacz. W tym czasie pojawiło się w raportach blockältestera na wieczornych i porannych apelach to później już stałe zdanie, w którym zmieniały się tylko liczby: *Zwei im Revier* albo *Fünf im Revier, Dreizehn im Revier* i tak dalej; potem nowe pojęcie: brak, ubytek, strata, czyli *Abgang*. Nie, w pewnych okolicznościach żadna dobra wola nie wystarcza. Jeszcze w domu czytałem, że z czasem, no i za cenę odpowiedniego wysiłku, człowiek jest w stanie przywyknąć nawet do życia w niewoli. I zapewne tak jest, nie wątpię, na przykład we własnym kraju, w normalnym, solidnym, cywilnym więzieniu czy jak się tam ono nazywa. Natomiast w obozie koncentracyjnym jest to, według moich doświadczeń, nie całkiem możliwe. I śmiem stwierdzić, że – przynajmniej jeśli o mnie chodzi – nigdy z braku starania, nigdy z braku dobrej woli; problem w tym, że nie dają na to dość czasu, po prostu.

Wiem o trzech sposobach-metodach ucieczki z obozu koncentracyjnego – bo je widziałem, wypróbowałem lub słyszałem o nich. Sam stosowałem pierwszą i może, niech będzie, najłatwiejszą – ale istnieje pewna rzecz, która, jak się uczyłem, jest stałą i niezbywalną własnością każdego człowieka. To fakt: nasza wyobraźnia nawet w niewoli pozostaje wolna. Mogłem na przykład sprawić, że podczas gdy moje ręce zajmowały się łopatą czy kilofem – oszczędnie, bez przesady, zawsze ograniczając się tylko do najkonieczniejszych ruchów - mnie samego po prostu tam nie było. Ale dowiedziałem się też, że nawet wyobraźnia ma swoje granice, że i tu są bariery. Przecież w końcu tyle samo trudu kosztowało mnie znalezienie się gdziekolwiek, w Kalkucie czy na Florydzie, choćby w najpiękniejszych miejscach świata. To jednak było nie dość poważne, nie dość realne, że tak powiem, i dlatego na ogół wracałem zwyczajnie do domu. Prawda, nie da się ukryć, że to nie mniej zuchwałe, niż gdybym się znalazł, powiedzmy, w Kalkucie; tyle że w tym już coś było, jakaś skromność i powiedziałbym, trud, który kompensował i przez to jakby od razu uwiarygodniał wysiłek. Szybko na przykład zdałem sobie sprawę: nie żyłem, jak trzeba, nienależycie korzystałem z tamtego życia, dużo, zbyt dużo mam do żałowania. I tak - przypominałem sobie - bywały potrawy, na które kręciłem nosem, grzebałem po talerzu, potem go odsuwałem, całkiem zwyczajnie dlatego, że ich nie lubiłem, i w tej chwili uważałem to za nierozumny i nienaprawialny błąd. Albo te niedorzeczne sprzeczki między ojcem a matką z mojego powodu. Kiedy wrócę do domu, pomyślałem tak właśnie, używając tych prostych, samych przez się zrozumiałych słów, nawet nie mrugnąwszy okiem, jak ktoś, kogo mogą interesować wyłącznie sprawy następujące po tym najbardziej oczywistym fakcie; więc gdy wrócę do domu, muszę z tym bezwzględnie skończyć, musi zapanować pokój, zadecydowałem. Były też w domu sprawy, które mnie denerwowały, a nawet takie, których – jakkolwiek to śmieszne – się bałem: niektórych przedmiotów szkolnych i nauczycieli, tego, że zostanę wyrwany do odpowiedzi i zawiodą mnie wiadomości, wreszcie ojca, kiedy mu powiem o stopniu. Teraz przywoływałem te obawy, zwyczajnie po to, żeby je sobie wyobrazić, ponownie przeżyć i uśmiechnąć się na ich wspomnienie. Ale najmilej spędzałem czas, wyobrażając sobie cały, calutki dzień w Peszcie, jeśli to możliwe, od rana do wieczora, w dalszym ciągu hołdując skromności. W końcu tyle samo wysiłku kosztowałoby mnie wyobrażenie sobie jakiegoś szczególnego, idealnego dnia – ale ja przeważnie wyobrażałem sobie tylko złe dni, z wczesnym wstawaniem, szkołą, strachem, byle jakim obiadem, i te wszystkie możliwości, których wówczas nie wykorzystałem, odrzuciłem, a nawet ich nie zauważyłem, naprawiałem w obozie koncentracyjnym z największym mistrzostwem. Słyszałem już o tym i teraz mogłem potwierdzić: ciasne więzienne mury nie stanowią żadnych granic dla skrzydeł naszej wyobraźni. Miało to tylko jedną wadę – jeśli uniosły mnie tak daleko, że nawet rękom kazały zapomnieć, bardzo szybko i z najdobitniejszym, najbardziej stanowczym argumentem wkraczała w swoje prawa w końcu jednak bardzo tu obecna rzeczywistość.

W tym czasie zaczęło się zdarzać w naszym obozie, że na porannym apelu nie zgadzał się stan liczebny – jak niedawno obok nas, na bloku szóstym. Każdy dobrze wie, co się mogło wtedy stać, przecież pobudka w obozie koncentracyjnym nie budzi tylko tego, kto już nie chce wstać, a tacy tu są. To jest drugi sposób ucieczki i któż nie miałby – raz, przynajmniej jeden jedyny raz – pokusy, któż mógłby zawsze być tak niezłomnie twardy, zwłaszcza rankiem, kiedy może wstać albo nie; budzimy się do nowego dnia w głośnym już namiocie, wśród szykujących się do wyjścia sąsiadów – ja sam wprawdzie tego nie spróbowałem, ale na pewno bym to zrobił, gdyby Bandi Citrom wciąż mi nie przeszkadzał. W końcu kawa nie jest aż tak ważna, a na apelu już będziemy – tak sobie myśli człowiek, tak sobie myślałem ja. Nie zostaniemy, oczywiście, na pryczy – w końcu nikt nie może być aż tak naiwny – lecz wstaniemy, porządnie, przyzwoicie, tak jak inni, a potem... znamy takie miejsce, pewien absolutnie bezpieczny zakątek, moglibyśmy dać głowę. Wypatrzyliśmy go już wczoraj czy może jeszcze dawniej, zauważyliśmy go, wpadł nam w oczy przypadkowo, bez żadnego planu, zamiaru, tylko coś sobie skojarzyliśmy w duchu. Teraz natomiast przypominamy sobie o nim. Wpełzniemy na przykład pod dolny boks. Albo odnajdziemy tę superpewną szparę, wygięcie, zagłębienie, bezpieczny kąt. A tam już się dobrze nakryjemy słomą, ściółką, kocami. I cały czas z tą myślą, że na apelu już będziemy – mówię, był czas, kiedy to dobrze, bardzo dobrze zrozumiałem. Co odważniejsi mogą nawet myśleć, że jednemu człowiekowi jeszcze jakoś ujdzie: na przykład źle policzą, przecież w końcu wszyscy jesteśmy ludźmi; że brak tylko jednego człowieka – dziś, tylko dziś rano – nie musi rzucić się w oczy, już wieczorem natomiast – zadbamy o to – stan liczebny będzie się zgadzał; jeszcze zuchwalsi: że w tym bezpiecznym miejscu w żaden sposób, żadną metodą nie mogą ich znaleźć. Ale prawdziwi desperaci nie myślą nawet o tym, gdyż po prostu uważają – i niekiedy ja sam byłem tego zdania – że godzina dobrego snu warta jest wszelkiego ryzyka i wszelkiej kary.

Ale nie za bardzo dają im aż tyle snu, przecież rano wszystko toczy się szybko, i proszę, już w wielkim pośpiechu formuje się grupa szukających: z przodu *Lagerältester*, w czerni, świeżo ogolony, z szykownym wąsikiem, pachnący, z niemieckim kapo za plecami, za tym zaś *Blockältester* i dwóch sztubowych, wszystkie pejcze i kije w pogotowiu, w garści, i ruszają prosto do bloku szóstego. Stamtąd hałas, krzyki, a po paru minutach – tylko posłuchaj! – triumfalny wrzask zwycięskich tropicieli śladów. Miesza się z nim jakieś piszczenie, coraz cichsze, potem milknie i wkrótce ukazują się myśliwi. To, co taszczą ze sobą z namiotu, wygląda stąd na nieruchomą kupkę martwych przedmiotów, kłąb splątanych szmat – ciskają to coś na sam skraj szeregu: starałem się nie patrzeć. Ale jakieś fragmenty, jakieś nawet teraz rozpoznawalne rysy, charakterystyczne cechy przyciągały mój wzrok, zmuszały do patrzenia, i poznałem w nim tego, kim niegdyś był – Pechowca. Potem: – *Arbeitskommandos antreten!* – i możemy na to liczyć: żołnierze będą dziś surowsi.

I wreszcie można rozważać trzecią metodę ucieczki, dosłowną i rzeczywistą, jak widać, to też się zdarzyło raz, jeden jedyny raz w naszym obozie. Uciekinierów było trzech, wszyscy trzej to Łotysze, doświadczeni, biegli w niemieckim, znający okolicę, pewni swego więźniowie – poszła szeptem wieść – i mogę powiedzieć, że po pierwszym uznaniu, tajonej radości, bo nasi stróże dostali po nosie, a nawet tu i ówdzie podziwie i niemal entuzjastycznych planach pójścia za ich przykładem i rozważaniu szans, wszyscy byliśmy na nich nieźle wściekli już nocą, tak gdzieś koło drugiej czy trzeciej, kiedy ukarani za ich ucieczkę wciąż jeszcze staliśmy, a dokładniej, raczej słanialiśmy się na apelu. Nazajutrz wieczorem, kiedy wróciliśmy do obozu, znów starałem się nie patrzeć w prawo. Stały tam bowiem trzy krzesła, a na nich siedziało trzech ludzi, trzech człowiekopodobnych. Uznałem, że prościej będzie nie interesować się tym, jaki dokładnie przedstawiają widok i co było napisane wielkimi kulfonami na tekturowych tabliczkach zawieszonych na ich szyjach (i tak się dowiedziałem, bo jeszcze długo wspominano o tym w obozie: *Hurrah! Ich bin wieder da!*, to znaczy „Hurra! znów tu jestem!"), widziałem też rusztowanie trochę podobne do trzepaków na naszych podwórkach, z trzema sznurami zakończonymi pętlą

– a więc zrozumiałem: szubienica. O kolacji, rzecz jasna, nie mogło być mowy, lecz natychmiast: – *Appell!* – potem: – *Das ganze Lager: Achtung!* – jak w przodzie na całe gardło komenderował *Lagerältester*, osobiście. Zebrali się ci co zwykle, wykonawcy egzekucji, po dalszym wyczekiwaniu pojawili się też przedstawiciele władz wojskowych, a potem, że tak powiem, wszystko poszło jak należy – na szczęście dość daleko od nas, z przodu, w pobliżu koryt do mycia, i nawet tam nie patrzyłem. Zerkałem raczej w lewo, skąd nagle napłynął głos, jakieś mamrotanie, coś w rodzaju melodii. Zobaczyłem w szeregu nieco trzęsącą się głowę na cienkiej, pochylonej do przodu szyi – a właściwie tylko nos i ogromne, w tej chwili pławiące się w jakimś niemal opętanym blasku oczy: rabin. Wkrótce zrozumiałem też jego słowa, tym bardziej że ludzie w naszym rzędzie zaczęli je z wolna za nim powtarzać. Na przykład wszyscy „Finowie", ale także wielu innych. A nawet, nie wiem, w jaki sposób, przedostały się już do sąsiadów, do innych bloków, rozbiegły się i szerzyły, że tak powiem, bo i tam spostrzegłem coraz więcej poruszających się warg i ostrożnie, ledwo, ledwo, ale jednak stanowczo kiwające się w przód i w tył ramiona, karki i głowy. Tymczasem to mamrotanie pośrodku naszego rzędu nie ustawało, było jak pomruk wychodzący gdzieś ze środka ziemi. *Jiskadal, weiskadasz*, brzmiało wciąż od nowa, a tyle to i ja wiem, że to jest tak zwany kadysz, żydowska modlitwa za zmarłych. I możliwe, że i to był tylko upór, skrajna, jedyna, chyba, musiałem przyznać, trochę wymuszona, powiedziałbym, przepisowa, w pewnym sensie ustalona i zarazem daremna forma uporu (bo przecież tam z przodu nic się nie zmieniło, z wyjątkiem paru ostatnich drgnień wisielców, nic się nie poruszyło, nic się nie zachwiało na te słowa); a jednak musiałem jakoś zrozumieć to uczucie, w którym twarz rabina niemal się rozpływała i od którego siły nawet nozdrza mu tak dziwnie drgały. Jakby dopiero teraz nadeszła ta z dawna oczekiwana chwila, ta szczególna, zwycięska chwila, o której nadejściu, pamiętam, mówił jeszcze w cegielni. I rzeczywiście, po raz pierwszy ogarnęło i mnie, nie wiem dlaczego, specyficzne poczucie braku, a nawet pewna zazdrość, że nie umiem jak inni – choćby w paru zdaniach – pomodlić się po żydowsku.

Ale ani upór, ani modlitwa, ani żadna ucieczka nie mogły mnie wyzwolić od jednego: od głodu. W domu też oczywiście bywałem, lub przynajmniej tak mi się wydawało, głodny; byłem głodny jeszcze w cegielni, w pociągu, w Oświęcimiu i nawet w Buchenwaldzie – ale tak długo, tak długodystansowo, że tak powiem, nie znałem jeszcze tego uczucia. Przeobraziłem się w dziurę, w jakąś próżnię, i wszystkie moje starania, wszystkie dążenia były skierowane na zapchanie, skłonienie do zamilknięcia tej wciąż żądającej swego próżni bez dna. Tylko na to miałem oczy, tylko temu mógł służyć mój cały intelekt, tylko to kierowało wszystkim, co robiłem, i jeśli nie jadłem drewna, żelaza czy żwiru, to tylko dlatego, że tego nie dało się pogryźć i strawić. Ale na przykład piasku już próbowałem i nigdy się nie zawahałem, jeśli zobaczyłem gdzieś trawę – ale trawa nie trafiała się ani w fabryce, ani na terenie obozu, niestety. Za jedną małą, szpiczastą cebulkę żądano aż dwóch kromek chleba i za tyle samo szczęśliwi bogacze sprzedawali buraki cukrowe i pastewne; ja wolałem te drugie, bo są bardziej soczyste i przeważnie większe, choć znawcy uważają, że cukrowe mają więcej wartości, że są pożywniejsze – ale kto by tam grymasił, nawet jeśli nie cierpiał ich łykowatego miąższu i ostrego smaku tak jak ja. Zadowalałem się i tym, w pewnym sensie jakoś mnie to pocieszało, że przynajmniej jedli inni. Naszym strażnikom zawsze przynoszono obiad do fabryki, a ja nie spuszczałem z nich oczu. Muszę jednak powiedzieć, że nie sprawiali mi większej satysfakcji czy radości; jedli szybko, nawet nie gryźli, spieszyli się, widziałem, że nie bardzo wiedzą, co naprawdę robią. Kiedy indziej moje komando pracowało w warsztacie: tu majstrowie rozpakowali to, co przynieśli z domu, i – pamiętam – długo patrzyłem na żółtą, pełną wielkich odcisków rękę, jak z wysokiego słoja wyciąga fasolkę szparagową, jedną po drugiej, może, przyznaję, z jakąś trochę niepewną, jakąś mroczną nadzieją. Ale ta żółta ręka – znałem już na niej każdy odcisk, każdy jej przewidywalny ruch – która wciąż poruszała się drogą między słoikiem a ustami, wędrowała dalej. Po pewnym czasie i ją zakryły mi plecy, bo się odwrócił, i zrozumiałem, że oczywiście z litości, choć chciałbym mu powiedzieć: tylko spokojnie, tylko dalej, przecież dla mnie już sam widok to dużo, więcej niż nic, na pewno. Wczorajsze łupiny od ziemniaków, całą menażkę, kupiłem od pewnego „Fina". Wyciągnął je spokojnie podczas południowej przerwy i tego dnia na szczęście nie było przy mnie Bandiego Citroma, żeby mógł się czepiać. Położył je przed sobą, wyciągnął postrzępiony papier, z niego kamienistą sól, wszystko to robił powoli, długo, i nawet czubkami palców podniósł kawałeczek do ust, posmakował, a potem tylko tak, od niechcenia, powiedział: - Na sprzedaż! - Na ogół ceną za coś takiego są dwa kawałki chleba lub margaryna; on żądał połowy wieczornej zupy. Próbowałem się targować, powoływałem się na wszystko, nawet na równość. - *Du bist niszt kajn jid, du bist a szejgec,* ty nie Żyd - potrząsnął na to głową, jak oni wszyscy. Zapytałem go: - To dlaczego tu jestem? - Skąd ja to wie? - wzruszył ramionami. Powiedziałem mu: - Parszywy Żyd! - I tak ci taniej nie sprzedam - odparł. W końcu kupiłem za tyle, ile chciał, i nie wiem, skąd wieczorem pojawił się akurat w tej chwili, kiedy nalewano mi zupę, ani jak mógł przewidzieć, że na kolację będzie makaron na mleku.

Twierdzę, że niektóre pojęcia możemy w pełni zrozumieć wyłącznie w obozie koncentracyjnym. Częstym bohaterem bajek mojego dzieciństwa był na przykład wędrowny czeladnik lub zbójnik, który za rękę królewny przystaje do króla na służbę i cieszy się, bo cena wynosi wszystkiego siedem dni. „Ale siedem dni to u mnie siedem lat" – mówi mu król; otóż to samo mógłbym powiedzieć o obozie koncentracyjnym. Nigdy bym na przykład nie uwierzył, że tak szybko zmienię się w zwiędłego starca. W domu trzeba na to czasu, co najmniej pięćdziesięciu, sześćdziesięciu lat, tu wystarczyły już trzy miesiące, żeby zawiodło mnie ciało. Oświadczam: nic dotkliwszego, nic bardziej zniechęcającego, jak śledzenie dzień w dzień, jak rejestrowanie dzień w dzień, ile znów z nas ubyło. W domu, jeśli nawet nie zwracałem na to zbytniej uwagi, byłem jednak w harmonii z moim organizmem, lubiłem, że tak powiem, tę machinę. Pamiętam pewne letnie popołudnie, kiedy w chłodnym pokoju czytałem pasjonującą powieść, podczas gdy moja dłoń w przyjemnym roztargnieniu głaskała naprężoną od mięśni, porośniętą złotymi włoskami, posłusznie gładką skórę uda. Teraz ta sama skóra zwisała pomarszczona, była żółta i wyschnięta, pokryta różnymi wypryskami, brunatnymi plackami, pęknięciami, zadrapaniami, dziobami i łuskami, które nieprzyjemnie swędziały, zwłaszcza między palcami. – Świerzb – stwierdził fachowo, kiwając głową, Bandi Citrom, kiedy mu to pokazałem. Tylko obserwowałem tę prędkość, to oszalałe tempo, w jakim dzień w dzień moje ciało nikło i marniało, roztapiała się i gdzieś przepadała z moich kości pokrywająca je tkanka i jej sprężystość. Każdego dnia zaskakiwało mnie co innego, jakaś nowa wada, nowa brzydota na tym coraz dziwniejszym, coraz bardziej obcym przedmiocie, który niegdyś był moim przyjacielem: ciałem. Nie mogłem już na nie patrzeć bez uczucia jakiejś niezgody z samym sobą, bez przerażenia; z czasem też dlatego przestałem się rozbierać do mycia, pomijając całą moją niechęć do tak zbytecznego wysiłku, do zimna, a zwłaszcza do drewniaków.

Te przedmioty, przynajmniej mnie, zawsze złościły. W ogóle nie byłem zadowolony z odzieży, w którą wyposażono mnie w obozie koncentracyjnym, była mało funkcjonalna i miała dużo wad, a z czasem stała się po prostu źródłem przykrości – śmiem powiedzieć: nie sprawdziła się. I tak na przykład w okresach drobnego, szarego deszczu, który zmiana pory roku czyni trwałym zjawiskiem, płócienny pasiak przeobraża się w sztywną rurę od pieca, której mokrego dotknięcia nasza dygocząca skóra chce za wszelką cenę uniknąć, na próżno, oczywiście. Nic niewart jest tu obozowy płaszcz, a niezaprzeczalnie uczciwie przydzielili je nam wszystkim – to nowa kłoda, to nowa mokra warstwa, i uważam, że nie jest też dobrym rozwiązaniem gruby papier worka po cemencie, który, podobnie jak wielu innych, Bandi Citrom też sobie schował i nosił go pod pasiakiem, lekceważąc wszelkie ryzyko, przecież taki grzech może szybko wyjść na jaw: wystarczy jedno uderzenie kijem w plecy, drugie w pierś, i chrzęst sprawia, że wina staje się oczywista. A skoro już nie chrzęści, pytam, to po co to przemoknięte nowe utrapienie, od którego możemy się uwolnić tylko potajemnie?

Ale najgorsze są, mówię, drewniaki. Wszystko właściwie zaczęło się wraz z błotem. Zresztą mogę powiedzieć, że i w tym względzie moje dotychczasowe wyobrażenia nie były całkiem wystarczające. W domu też widywałem błoto, nawet po nim chodziłem, oczywiście – ale nie miałem pojęcia, że błoto może się stać naszą główną troską, sceną naszego życia. Co znaczy zanurzyć się w nim po łydki, aby potem, mobilizując wszystkie siły, jednym głośno chlupiącym szarpnięciem wyrywać z niego nogi, i to tylko po to, by znów je zanurzyć dwadzieścia, trzydzieści centymetrów dalej; na to nie byłem, zresztą daremnie byłbym, przygotowany. A więc jeśli chodzi o drewniaki, okazało się, że z czasem łamią się w nich obcasy. Chodzimy więc na grubych spodach, które w pewnym punkcie pod piętą nagle cienieją i zaokrąglają się niczym gondola, więc kołyszemy się na tych okrągłych spodach jak wańka-wstańka. Ponadto w miejscu niegdysiejszego obcasa, między piętą drewniaka a bardzo cienkim tu spodem, powstaje coraz większa szpara, w którą przy każdym kroku bez przeszkód włazi zimne błoto, a z nim drobny żwir i rozmaite ostre kamyki. Tymczasem buty już dawno otarły kostki i wyżarły niezliczone ranki w miękkich miejscach poniżej. Otóż te ranki – zgodnie z ich właściwościami – wilgotnieją, a ich wilgoć jest lepka. Z czasem nie możemy się już więc uwolnić od drewniaków, stają się nie do zdjęcia, bo przylgnęły i jak nowa część ciała niemal przyrastają do nóg. Chodziłem w nich w dzień i kładłem się do snu, już choćby po to, żeby nie tracić czasu, kiedy będę musiał w nocy schodzić, a dokładniej, zeskakiwać trzy, a czasami nawet cztery razy. W nocy jeszcze pół biedy: z trudem, potykając się, ślizgając w błocie, docieramy jakoś do celu w świetle reflektorów. Ale co robić za dnia, jeśli biegunka dopadnie nas – co nieuniknione – w komandzie? Człowiek zbiera wtedy całą odwagę, zdejmuje czapkę i prosi strażnika o pozwolenie: – *Gehorsamst, zum Abort* – zakładając oczywiście, że w pobliżu jest klozet, na dodatek taki, z którego mogą korzystać także więźniowie. Ale załóżmy, że jest, załóżmy, że strażnik jest dobrotliwy i udziela pozwolenia raz, potem drugi; niechże więc spytam: kto może być tak bezczelny, tak zdeterminowany, żeby po traz trzeci wystawiać jego cierpliwość na próbę? Wtedy pozostaje już tylko niema walka, z zaciśniętymi zębami, z drżeniem w dołku, zanim rozstrzygnie się próba i w końcu zatriumfuje albo nasze ciało, albo nasza wola.

A jako ostateczne narzędzie – czy to spodziewane, czy też nieoczekiwane, prowokujemy je czy właśnie staramy się go uniknąć – zawsze i wszędzie jest bicie. W tym względzie ja też odebrałem należną mi część, oczywiście, ale nie większą – jeśli nie mniejszą – niż zwykła, przeciętna, powszednia, jak ktokolwiek, jak którykolwiek z nas, a więc taką, która nie jest następstwem jakiegoś szczególnego, osobistego pecha, lecz tylko normalnych warunków w naszym obozie. I szczególna niekonsekwencja, ale muszę powiedzieć: spotkało mnie to nie z woli esesmana, który właściwie był bardziej do tego powołany, bardziej uprawniony, zobligowany czy jak to określić, lecz żołnierza w żółtym mundurze jakiejś mętnej organizacji o nazwie Todt, zajmującej się, jak słyszałem, inspekcją pracy. Był tam i zauważył – ale co za głos, co za skok – że upuściłem worek cementu. Noszenie cementu każde komando, i według mnie całkiem słusznie, naprawdę przyjmuje z należną jedynie całkiem wyjątkowym okazjom radością, do której niechętnie się przyznaje nawet wśród swoich. Człowiek pochyla głowę, ktoś zarzuca mu na plecy worek, z którym wlecze się noga za nogą do ciężarówki, tu ktoś inny mu go zdejmuje, potem człowiek, kiedy tylko może, wlecze się z powrotem okrężną drogą, jeśli ma szczęście, stoi przed nim jeszcze kolejka, a więc może znów uszczknąć trochę czasu, znów do następnego worka. Worek waży wszystkiego dziesięć, piętnaście kilo – w domowych warunkach byłaby to dziecinna zabawka, może nawet pograłbym nim w nogę; tu jednak potknąłem się i upuściłem go. Najgorsze, że przy tym pękł, a przez pęknięcie wysypała się na ziemię jego zawartość, surowiec, skarb, drogocenny cement. Już był przy mnie, już czułem jego pięść na twarzy, potem, kiedy powalił mnie na ziemię, jego but na żebrach, a na karku jego rękę, gdy wciskał mi twarz w ziemię, w cement: mam go pozbierać, wydrapać, wylizać – życzył sobie całkiem niedorzecznie. Później szarpnięciem postawił mnie na nogi: już on mi pokaże – *ich werde dir zeigen, Arschloch, Scheisskerl, verfluchter Judehund!* – że więcej nie upuszczę żadnego worka, obiecał. Od tej chwili za każdym nawrotem on sam zarzucał mi na plecy nowy worek i tylko mną się interesował, tylko o mnie się troszczył, wyłącznie mnie śledził spojrzeniem do ciężarówki i z powrotem, i brał mnie na początek nawet wtedy, gdy według kolejki i sprawiedliwości powinni byli podchodzić po worki inni ludzie. W końcu już niemal zgraliśmy się, poznali na sobie, widziałem na jego twarzy prawie zadowolenie, zachętę, żeby nie powiedzieć – coś w rodzaju dumy, i z pewnego punktu widzenia, musiałem przyznać, miał do tego prawo: rzeczywiście, jeśli nawet zataczając się, jeśli zgarbiony, jeśli ciemniało mi w oczach, to jednak wytrwałem, przychodziłem i odchodziłem, nosiłem i dźwigałem, i nie upuściłem już żadnego worka, a to w rezultacie – musiałem przyznać – potwierdzało jego rację. Z drugiej jednak strony pod koniec tego dnia poczułem, że coś się we mnie nienaprawialnie popsuło, odtąd każdego ranka byłem przekonany, że wstaję ostatni raz, przy każdym kroku, że nie dam rady zrobić jeszcze jednego, przy każdym ruchu, że nie zdołam już wykonać następnego; a jednak na razie wciąż je wykonywałem.

7

Zdarzają się przypadki, trafiają się sytuacje, których już w żaden sposób nie da się pogorszyć, jak widać. Oświadczam, że po tylu staraniach, po tylu daremnych próbach i wysiłkach z czasem ja też odnalazłem spokój i ulgę. Twierdzę, że na przykład pewne rzeczy, którym przedtem przypisywałem jakieś ogromne, na dobrą sprawę, niepojęte znaczenie, straciły w moich oczach całą wagę. I tak, jeśli zmęczyłem się na apelu, nie patrząc, czy jest tam błoto lub kałuża, po prostu siadałem i pozostawałem w tej pozycji, dopóki sąsiedzi nie postawili mnie siłą na nogi. Zimno, wilgoć, wiatr czy deszcz już mi nie mogły przeszkadzać: nie docierały do mnie, wcale ich nie czułem. Nawet głód minął; w dalszym ciągu niosłem do ust, co tylko znalazłem, co nadawało się do zjedzenia, ale raczej tylko w roztargnieniu, automatycznie, z przyzwyczajenia, że tak powiem. Praca? Już nawet nie zważałem na pozory. Jeśli im się nie podobało, najwyżej mnie bili, a i tym nie mogli mi bardzo zaszkodzić, bo w ten sposób wygrywałem czas – już po pierwszym uderzeniu pospiesznie rozciągałem się na ziemi, a dalszych nie czułem, ponieważ zasypiałem przy nich.

Tylko jedno stało się we mnie silniejsze: rozdrażnienie. Jeśli ktoś nastawał na moją wygodę, bodaj tylko mnie dotknął, jeśli w marszu pomyliłem krok (co zdarzało się często) i ktoś z tyłu przydeptał mi piętę, to bez chwili wahania, bez skrupułów mógłbym go na przykład na miejscu zabić – gdybym mógł, oczywiście, i gdybym, podnosząc rękę, nie zapomniał już, co właściwie chciałem zrobić. Zdarzało mi się też przemówić z Bandim Citromem; „opuściłem się", stałem się ciężarem dla komanda, jestem niebezpieczny dla wszystkich, można się ode mnie zarazić świerzbem – wyrzucał mi. Ale przede wszystkim chyba go krępowałem, przeszkadzałem mu. Zauważyłem to, kiedy pewnego wieczoru zaciągnął mnie do mycia. Daremnie się broniłem, protestowałem, siłą ściągnął ze mnie łachy, daremnie próbowałem trafić go pięścią w pierś, w twarz, nacierał zimną wodą moją dygoczącą skórę. Powiedziałem mu ze sto razy: nie chcę jego opieki, niech mnie zostawi w spokoju, niech idzie w cholerę, chcę tu zdechnąć. Może nie chcę wrócić do domu? – zapytał i nie wiem, jaką odpowiedź wyczytał z mojej twarzy, ale ja na jego ujrzałem jakieś osłupienie, popłoch, z jakim zwykle patrzymy na tych, którzy nieustannie sprowadzają kłopoty, na skazańców czy, powiedzmy, nosicieli zarazy: wtedy też przypomniałem sobie to, co mówił kiedyś o muzułmanach. W każdym razie od tej pory raczej mnie unikał, ja natomiast uwolniłem się i od tego ciężaru.

Natomiast od kolana w żaden sposób nie mogłem się uwolnić, ten ból wciąż pozostawał ze mną. Po paru dniach nawet je obejrzałem i aczkolwiek moje ciało przyzwyczaiło mnie już do różnych rzeczy, tę nową niespodziankę, tę płomiennie czerwoną gulę, która uformowała się w okolicy mojego prawego kolana, uznałem za słuszne natychmiast zakryć. Dobrze wiedziałem, oczywiście, że w naszym obozie funkcjonuje rewir, ale po pierwsze, godzina przyjęć zbiegała się akurat z porą kolacji, która w końcu była ważniejsza od leczenia, a po drugie, takie czy inne doświadczenie, znajomość miejsca i życia nie pozwalają na zbyt duże zaufanie. No i rewir był daleko, dwa namioty przed naszym, a na tak długą wyprawę niechętnie bym się zdecydował, gdyby to nie było bezwzględnie konieczne, między innymi dlatego, że teraz już bardzo mnie bolało. Wreszcie Bandi Citrom i jeden z naszych współlokatorów zanieśli mnie jednak, robiąc z rąk siodełko, i kiedy już siedziałem na stole, uprzedzono mnie z góry: prawdopodobnie będzie bolało, ponieważ zabieg trzeba wykonać natychmiast, a z powodu braku środków znieczulających są zmuszeni wykonać go bez nich. Jak zaobserwowałem, zrobili mi nożem dwa krzyżujące się nacięcia nad kolanem, wycisnęli mnóstwo czegoś, co było w moim udzie, następnie zawinęli wszystko papierowym bandażem. Zaraz potem zainteresowałem się kolacją, więc zapewnili mnie: zadbają o to, co trzeba, i wkrótce się o tym przekonałem, rzeczywiście. Zupa była dziś z buraków pastewnych i kalarepy, bardzo tu lubiana, i dla rewiru całkiem wyraźnie nalewało się ją z dna kotła, z czego również mogłem być zadowolony. Spędziłem noc w namiocie rewiru, na górnym piętrze boksu, zupełnie sam i nieprzyjemne było tylko to, że o zwykłej porze wypróżnienia już nie mogłem stanąć na nodze, natomiast o pomoc – najpierw szeptem, potem głośno, wreszcie krzycząc – prosiłem bezskutecznie. Nazajutrz rano wraz z innymi ciałami wrzucono też moje na mokrą blachę otwartej ciężarówki i zawieziono do pobliskiej miejscowości o nazwie Gleina, jeśli dobrze zrozumiałem, gdzie mieścił się właściwy szpital obozowy. W drodze pilnował nas żołnierz; siedział z tyłu na porządnym, składanym stołku, z połyskującym wilgocią karabinem na kolanach, z wyraźnie niechętną, pełną rezerwy miną i niekiedy, zapewne na skutek jakiegoś zapachu, który go dobiegł, krzywił się paskudnie – zresztą, muszę przyznać, miał prawo. Dręczyło mnie zwłaszcza to, że robił wrażenie, jakby doszedł w duchu do jakiegoś wniosku, jakiejś ogólnej prawdy, i miałem ochotę się usprawiedliwić: to nie tylko moja wina i tak naprawdę wcale taki nie jestem – ale trudno byłoby mi to wytłumaczyć, oczywiście, rozumiałem. Kiedy zajechaliśmy, musiałem najpierw stawić czoło strumieniowi wody z gumowego szlaucha, jakich używa się w ogrodzie, który uderzył niespodziewanie, wdzierał się wszędzie i zmył ze mnie wszystko: resztki szmat, brud i nawet papierowy opatrunek. Potem zaprowadzono mnie do sali, gdzie dostałem koszulę i dolne miejsce na piętrowej, zbitej z desek pryczy i mogłem się położyć na sienniku, ubitym wprawdzie i wygniecionym na dostatecznie twardo i dostatecznie płasko zapewne przez moich poprzedników, tu i ówdzie upstrzonym podejrzanymi plamami, podejrzanie pachnącymi, podejrzanie chrzęszczącymi przebarwieniami, ale w końcu wolnym i później mogłem robić, co chciałem, a zwłaszcza dobrze się wyspać.

Nasze dawne zwyczaje zabieramy zawsze ze sobą w nowe miejsca, jak widać; mogę powiedzieć, że ja sam w szpitalu musiałem na początku walczyć z licznymi nawykami, które się we mnie zakorzeniły. Na przykład sumienie: w pierwszym okresie budziło mnie każdego świtu. Kiedy indziej zrywałem się – przespałem apel, już ruszają na poszukiwania, i dopiero z wolno cichnącym sercem przyjmowałem do wiadomości pomyłkę, roztaczający się przede mną obraz, świadectwo rzeczywistości, że jestem w szpitalu, że wszystko w porządku, tu ktoś pojękuje, tam rozmawiają, dalej kto inny w dziwnym milczeniu mierzy ostrym nosem, nieruchomym wzrokiem, otwartymi ustami w sufit, że tylko boli mnie rana, no i że najwyżej – jak zawsze – chce mi się pić, na pewno z gorączki. Słowem, potrzebowałem czasu, zanim do końca uwierzyłem: nie ma apelu, nie muszę oglądać żołnierzy, a zwłaszcza chodzić do pracy – i wszystkich tych korzyści nie mogły zniwelować, przynajmniej dla mnie, żadne uboczne okoliczności, żadna choroba. Co jakiś czas prowadzono mnie do małego pokoju na piętrze, gdzie urzędowało dwóch lekarzy, młodszy i starszy, ja byłem, że tak powiem, pacjentem tego drugiego. Był chudym, sympatycznym brunetem w czystym ubraniu, butach, z opaską i uczciwą, wyróżniającą go twarzą, która przywodziła na myśl starego, przyjacielskiego lisa. Wypytał mnie, skąd jestem, i sam mi powiedział, że przywieziono go tu z Siedmiogrodu. Jednocześnie zdejmował mi postrzępiony, w okolicy kolana zawsze już stwardniały i żółtozielony papierowy bandaż, potem, ugniatając mi udo obiema rękami, wyciskał z niego ropę, która zdołała się nagromadzić, i wreszcie jakimś podobnym do szydełka narzędziem wpychał mi pod skórę kawałek zwiniętej gazy, jak wyjaśniał: „w celu udrożnienia", „w celu oczyszczenia", po to, żeby rana nie zagoiła się przed czasem. Chętnie tego słuchałem, w końcu nie miałem czego szukać poza szpitalem, jeśli o mnie chodzi, nie ma żadnego gwałtu ze zdrowiem, jak się dobrze zastanowić, oczywiście. Już mniej mi się podobała inna jego uwaga. Uważał, że jedna rana w moim kolanie to za mało. Według niego należałoby wykonać drugie cięcie z boku i połączyć je z pierwszym za pomocą trzeciego cięcia. Zapytał, czybym się zdecydował, i naprawdę się zdziwiłem, ponieważ patrzył na mnie w taki sposób, jakby rzeczywiście czekał na moją odpowiedź, może zgodę, żeby nie powiedzieć: upoważnienie. Powiedziałem mu: – Jak pan doktor uważa – a on natychmiast uznał, że w takim razie najlepiej będzie zaraz się do tego zabrać. I od razu się zabrał, ale byłem zmuszony zachowywać się nieco głośno i widziałem, że mu to przeszkadza. Nawet kilka razy mnie zganił: – Nie potrafię tak pracować – a ja próbowałem się usprawiedliwić: – Nic na to nie poradzę. – Wreszcie po paru centymetrach przerwał, nie realizując w pełni swojego planu. Ale i tak wydawał się dość zadowolony, jak zaznaczył: – To już też coś – jako że teraz będzie mógł w dwóch miejscach wyciskać ze mnie, sądził, ropę. W szpitalu też płynął czas; jeśli akurat nie spałem, zawsze byłem zajęty głodem, pragnieniem, bólem kolana, jakąś rozmową czy zabiegami, ale śmiem powiedzieć, że bez zajmowania się czymkolwiek innym bardzo dobrze mi się żyło ze świadomością tej przyjemnie podniecającej myśli, tego przywileju, który wciąż wywoływał ogromną radość. Wypytywałem też nowo przybyłych: co słychać w obozie, z jakiego są bloku i czy przypadkiem nie znają Bandiego Citroma z bloku piątego, wzrost średni, złamany nos, z przodu brak zębów, ale nikt go sobie nie przypominał. Rany, które widywałem w pokoju zabiegowym, były przeważnie podobne do moich, również głównie na udach lub łydkach, choć zdarzały się i wyżej, na biodrach, pośladkach, ramionach, a nawet na szyjach i plecach, w języku medycznym nazywały się „flegmonami”, jak często słyszałem, a ich tak częste występowanie w normalnych warunkach obozu koncentracyjnego nie jest absolutnie czymś nadzwyczajnym czy zadziwiającym, jak się dowiedziałem od lekarzy. Nieco później zaczęli pojawiać się ludzie, którym trzeba było amputować jeden, dwa, trzy, a niekiedy nawet wszystkie palce u nóg, i opowiadali: w obozie jest już zima, poodmrażali nogi. Kiedyś wszedł do pokoju zabiegowego widocznie wysoki funkcyjny w szytym na miarę pasiaku. Usłyszałem od niego to ciche, ale dobrze zrozumiałe słowo: – *Bonjour!* – i z tego, no i z czerwonego trójkąta z literą „F", odgadłem, że jest Francuzem, a z opaski z napisem *O.-Arzt*, że musi być naczelnym lekarzem naszego szpitala. Długo mu się przyglądałem, bo już dawno nie widziałem równie pięknego człowieka: nie był zbyt wysoki, ale pod ubraniem prężyło się proporcjonalne ciało, którego wszędzie było akurat tyle, ile trzeba, twarz również pełna, podbródek okrągły, z dołkiem pośrodku, smagła, oliwkowa skóra połyskiwała w padającym na twarz świetle, tak jak na ogół widywałem to za dawnych czasów, w domu, pośród ludzi. Nie był jeszcze bardzo stary, szacowałem go na mniej więcej koło trzydziestki. Widziałem, że lekarze też się bardzo ożywili, starali się go zadowolić, wyjaśnić, co trzeba, ale zwróciłem uwagę, że według nie tyle obozowego, co raczej dawnego, domowego zwyczaju, z tą elegancją, radością, obyciem towarzyskim, tak jak się zachowujemy, gdy mamy okazję pokazać, że doskonale rozumiemy i mówimy w jakimś kulturalnym języku, tym razem po francusku. Z drugiej jednak strony – widziałem – dla naczelnego nie miało to żadnego znaczenia; wszystko obejrzał, odpowiadał w paru słowach, czasami nawet pokiwał głową, ale robił to wolno, cicho, melancholijnie, obojętnie, z niezmiennym wyrazem zwątpienia, niemal smutku na twarzy i w orzechowych oczach. Tylko się na niego gapiłem, bo nijak nie mogłem zrozumieć, skąd to się bierze u takiego bogatego funkcyjnego, który na dodatek doszedł do tak wysokiej rangi. Badawczo wpatrywałem się w jego twarz, śledziłem ruchy i wreszcie wpadło mi na myśl, że przecież w końcu on też musi tu być; z wolna i tym razem z pewnym zdziwieniem, z jakimś pogodnym zaskoczeniem wydało mi się, że rozumiem, bo na to wskazywała sytuacja, że musi go gnębić sama niewola. Już chciałem mu powiedzieć: proszę się nie martwić, przecież to jeszcze nie najgorsze - ale bałem się, to byłaby bezczelność, potem zaś przyszło mi na myśl, że przecież nawet nie znam francuskiego.

Prawie przespałem też przeprowadzkę. Już wcześniej dotarło do moich uszu: w miejscu namiotów postawiono na zimę kamienne baraki, nie zapomniano też o nadającym się na szpital. Ponownie wrzucono mnie na ciężarówkę; jak oceniłem po panujących ciemnościach, był wieczór, po temperaturze - plus minus środek zimy, dopiero potem zobaczyłem dobrze oświetloną, zimną sień jakiegoś olbrzymiego pomieszczenia, a w niej cuchnącą środkami chemicznymi drewnianą kadź i musiałem - na próżno jęk, prośba, protest - zanurzyć się w niej dla higieny aż po czubek głowy, jej zawartość zaś, poza tym, że była zimna, wywoływała we mnie dreszcz także dlatego, że widziałem, jak w tej samej brunatnej cieczy moczyli się przede mną inni chorzy, z ranami i ze wszystkim. A potem i tu zaczął płynąć czas, tu też w istocie tak samo – z paroma zaledwie różnicami – jak w poprzednim miejscu. W nowym szpitalu na przykład prycze były trzypiętrowe. Do lekarza też prowadzono mnie rzadziej i dlatego moja rana dopiero tu się oczyściła, na swój sposób, tak jak umiała. Na domiar złego wkrótce zaczęło mnie boleć lewe biodro, a potem pojawiła się znajoma już, płomiennie czerwona gula. Po paru dniach daremnego wyczekiwania, żeby znikła lub przestała rosnąć, chcąc nie chcąc, byłem zmuszony powiedzieć o niej pielęgniarzowi, i po kilkudniowym wyczekiwaniu przyszła na mnie kolej w sieni baraku, u lekarzy; w taki oto sposób poza prawym kolanem miałem także cięcie wielkości mniej więcej dłoni na lewym biodrze. Kolejna przykrość wiązała się z moim miejscem na jednej z dolnych prycz, akurat naprzeciwko wychodzącego na wysokie i zawsze szare niebo małego i nieoszklonego okna, na którego żelaznej kracie zapewne nasze parujące oddechy tworzyły wieczne sople i stale pokrywający ją szron. Ja zaś miałem na sobie wyłącznie to, co przysługuje choremu: krótką koszulę bez guzików, no i podarowaną ze względu na panującą zimę oryginalną zieloną czapkę z dzianiny, zaokrągloną na uszach i wrzynającą się klinem w czoło, podobną do tych, jakie noszą łyżwiarze lub aktorzy grający rolę szatana, ale przecież bardzo pożyteczną.

No więc solidnie marzłem, zwłaszcza kiedy straciłem drugi koc, którego strzępami całkiem znośnie uzupełniałem dotąd inne braki; mam go na krótko pożyczyć, potem mi odniesie – oznajmił pielęgniarz. Na próżno próbowałem trzymać koc obydwiema rękami, czepiać się jego końca, pielęgniarz okazał się silniejszy, a poza stratą martwiła mnie jeszcze trochę myśl, że koce – przynajmniej z tego, co wiem – ściąga się zazwyczaj z tych, którzy i tak zbliżają się już prawdopodobnie do końca, na co się liczy, czego się, powiedziałbym, wyczekuje. Kiedy indziej znowu ostrzegł mnie dobrze już znajomy głos z dolnej pryczy, ale wychodzący jakby zza moich pleców: znów ukazał się pielęgniarz, znów z nowym chorym w ramionach, i właśnie patrzył, do kogo, na czyją pryczę mógłby go położyć. W takich razach sąsiad z dołu informował nas, że on to ciężki przypadek i specjalne pozwolenie lekarza uprawnia go do osobnego spania, i tak straszliwym głosem huczał, grzmiał: – Protestuję! – powoływał się: – Mam do tego prawo! Zapytajcie lekarza! – i znów od początku: – Protestuję! – że pielęgniarze w końcu rzeczywiście nieśli zawsze swój ciężar dalej, do innego łóżka, tym razem do mojego, i dostałem za współlokatora chłopaka mniej więcej w moim wieku. Jakbym już widział jego żółtą twarz i duże, płonące oczy – ale tu żółte twarze i duże, płonące oczy mieli wszyscy. W pierwszych słowach zapytał, czy nie znalazłoby się dla niego trochę wody, a ja mu powiedziałem, że sam bym nie pogardził; zaraz potem: – A papierosy? – z tym też nie miał szczęścia, oczywiście. Zaproponował, że mógłby zapłacić chlebem, ale dałem mu do zrozumienia, że nie w tym rzecz, zwyczajnie nie mam; wtedy zamilkł na jakiś czas. Przypuszczam, że musiał mieć gorączkę, bo od jego rozdygotanego ciała bił nieustający żar, z którego przynajmniej miałem pożytek. Mniej się już cieszyłem, kiedy nocą rzucał się i wiercił, nie zwracając odpowiedniej uwagi na moje rany. Nawet mu powiedziałem, hej, ma być spokój, niech się choć trochę uspokoi, i w końcu mnie posłuchał. Rano zobaczyłem dlaczego: daremnie mianowicie budziłem go na kawę. Ale i tak w wielkim pośpiechu podałem jego menażkę pielęgniarzowi, który, akurat kiedy się szykowałem, by mu powiedzieć, co się stało, zażądał jej krzykliwym głosem. Potem wziąłem też dla niego porcję chleba i wieczorną zupę i robiłem to aż do dnia, kiedy zaczęło się z nim robić coś bardzo dziwnego; wtedy już musiałem powiedzieć, w końcu nie mogłem go w nieskończoność przechowywać w moim łóżku. Odrobinę się bałem, bo zwłoka wydawała się całkiem zauważalna, a powód, przy odrobinie zrozumienia, na którą w końcu liczyłem, łatwy do odgadnięcia – ale wzięli go razem z innymi, nic, dzięki Bogu, nie powiedzieli i na razie zostawili mnie bez towarzystwa.

Tu zapoznałem się też naprawdę z robactwem. Pcheł w żaden sposób nie mogłem wyłapać, były szybsze ode mnie – całkiem zrozumiałe, w końcu lepiej się odżywiały. Wszy mogłem łapać z łatwością, tyle że to nie miało sensu. Jeśli już byłem na nie bardzo zły, przesuwałem paznokciem wielkiego palca po naprężonym na plecach płótnie koszuli i dobrze słyszalna seria trzasków była miarą mojej zemsty, rozkoszowałem się ich zagładą, ale już po minucie mogłem to powtórzyć, choćby dokładnie w tym samym miejscu, i znów z dokładnie tym samym rezultatem. Były wszędzie, wwiercały się w każdy ukryty zakątek, moja zielona czapka poszarzała, roiła się od nich, dobrze, że się nie ruszała. A jednak najbardziej zdziwiłem się, poczułem się zaskoczony, a nawet przerażony, kiedy nagle coś załaskotało mnie w biodro i unosząc papierowy opatrunek, zobaczyłem, że są już na żywym mięsie i odżywiają się z mojej rany. Próbowałem ją od nich uwolnić, przynajmniej stąd je wygonić, wygrzebać, zmusić do odrobiny cierpliwości, do czekania – i twierdzę, że nigdy jeszcze walka nie wydała mi się tak beznadziejna, a opór tak zawzięty, można by powiedzieć, bezwstydny. Po jakimś czasie dałem sobie spokój i już tylko patrzyłem na ich obżarstwo, na tę krzątaninę, apetyt, nieukrywane szczęście: jakbym to skądś trochę znał. Wtedy też zdałem sobie sprawę, że po dokładnym rozważeniu wszystkiego nawet je w pewnym sensie rozumiem. W końcu poczułem niemal ulgę, niemal przestałem się opierać. W dalszym ciągu nie cieszyłem się nimi, w dalszym ciągu byłem trochę rozgoryczony – i myślę, że nie ma się czemu dziwić – ale już raczej tylko tak ogólnie, bez gniewu, tylko trochę z powodu całego ładu natury, że tak powiem; w każdym razie pospiesznie przykryłem je i później już nie stawałem z nimi do walki, nie zakłócałem im już więcej spokoju.

Twierdzę: nie ma takiego doświadczenia, tak doskonałego spokoju ani takiej siły zrozumienia, abyśmy nie dali naszemu szczęściu ostatniej szansy, zakładając, że znajdziemy na to sposób, oczywiście. Toteż kiedy wraz z tymi wszystkimi, którzy nie rokowali większych nadziei, że da się ich tu przywrócić do pracy, mnie też odesłali do Buchenwaldu, jak do nadawcy, resztkami sił dzieliłem, oczywiście, radość z innymi, ponieważ natychmiast przypomniałem sobie tamtejsze dobre dni, zwłaszcza poranne zupy. Przyznaję natomiast: nie myślałem o tym, że najpierw muszę tam dojechać, i to pociągiem, w zwykłych warunkach takich podróży; w każdym razie chcę powiedzieć, że są sprawy, których nigdy dotąd nie rozumiałem i w ogóle trudno byłoby mi w nie uwierzyć. Na przykład słyszane niegdyś często wyrażenie „ziemskie szczątki" według mojej dotychczasowej wiedzy mogło dotyczyć wyłącznie nieboszczyka. Natomiast w moim przypadku nie było wątpliwości: żyłem, i jeśli nawet mrugający, jeśli gasnący, tlił się jeszcze we mnie płomień życia, jak to się mówi – to znaczy, było tu moje ciało, wiedziałem o nim dokładnie wszystko, tylko po prostu mnie w nim nie było. Bez żadnego trudu wyczuwałem, że to coś, tak jak wiele podobnych nad nim i obok, leży tu na zimnej i mokrej od różnych podejrzanych cieczy słomie rzuconej na podskakującą podłogę wagonu, że papierowy opatrunek już dawno odpadł, postrzępiona, podarta koszula i spodnie, w które ubrano mnie na drogę, lepią się do odkrytych ran – ale wszystko to nie dotyczyło mnie z bliska, nie interesowało, nie miało już na mnie wpływu, a nawet mogę stwierdzić, że dawno nie czułem się taki lekki, spokojny, niemal rozmarzony i powiem wprost: zadowolony. Wreszcie po tak długim czasie wyzwoliłem się też od udręki rozdrażnienia. Nie przeszkadzały mi już dotykające mnie ciała, nawet się cieszyłem, że tu są, że są ze mną, że są tak bliskie, tak podobne do mojego, i po raz pierwszy ogarnęło mnie wobec nich jakieś niezwyczajne, nienormalne, jakieś niezręczne, powiedziałbym, niezdarne uczucie – możliwe, że to miłość, tak myślę. I tego samego doświadczyłem z ich strony. Prawda, już nie za bardzo, jak na początku, łudzili się nadzieją. Może to również, poza innymi przyczynami, oczywiście, sprawiło, że tak ciche i zarazem tak serdecznie rodzinne stały się słowa pociechy i ukojenia, które słyszało się niekiedy wśród ogólnego pojękiwania, syczenia przez zęby, cichych skarg. Ale muszę powiedzieć, że komu tylko starczało sił, nie oszczędzał się, także i mnie litościwe ręce dostarczyły na przykład, kto wie, z jak daleka, mosiężną puszkę po konserwach, kiedy zgłosiłem: muszę oddać mocz. A kiedy wreszcie pod moimi plecami – nie wiem jak, kiedy i dzięki czyim rękom – zamiast desek wagonu znalazły się nagle pokryte resztkami lodu kałuże na bruku, to nie miało już dla mnie większego znaczenia, że szczęśliwie przybyłem do Buchenwaldu, dawno też zapomniałem, że to w końcu jest to miejsce, w którym tak bardzo chciałem się znaleźć. Nawet się nie domyślałem, gdzie właściwie jestem: jeszcze na stacji czy już dalej, nie poznawałem okolicy ani drogi, nie widziałem willi ani pomnika, które przecież wciąż jeszcze dobrze pamiętałem.

W każdym razie wydawało mi się, że długo tak musiałem leżeć, i trwałem sobie spokojnie, łagodnie, bez ciekawości, z cierpliwością tu, gdzie mnie zostawiono. Nie czułem zimna ani bólu, raczej umysł niż skóra przekazał mi także i to, że na moją twarz pada coś kłującego, pośredniego między śniegiem a deszczem. Zastanawiałem się nad tym i owym, przyglądałem się temu, co bez zbędnego ruchu, bez trudu wpadało mi w oczy – na przykład niskiemu, szaremu i matowemu niebu nad moją twarzą, a dokładniej: ołowianym, leniwie poruszającym się zimowym chmurom, które zasłaniały je przed moimi oczami. Jednak miejscami rozstępowały się, tu i ówdzie powstawały w nich na chwilę nieoczekiwane szczeliny, połyskliwe dziury, i to było jak nagłe przeczucie jakiejś głębi, z której wtedy padało na mnie z góry, niby jakiś promień, szybkie, badawcze spojrzenie niewątpliwie jasnych, choć nieokreślonej barwy oczu, trochę podobnych do oczu tego lekarza, przed którym stanąłem dawno temu, jeszcze w Oświęcimiu. Tuż przy mnie nieforemny przedmiot: drewniak, z drugiej strony podobna do mojej czapka, między dwoma szpiczastymi szczegółami, brodą i nosem, jamiste wgłębienie – w polu mojego widzenia znalazła się jakaś twarz. Za nią inne głowy, przedmioty, ciała, zrozumiałem, to resztki transportu, dokładniej mówiąc, odpady, które na razie tu zostawiono. Po jakimś czasie, nie wiem, po godzinie, po dniu, czy po roku, dotarły do mnie wreszcie jakieś hałasy, odgłosy pracy, słowa rozkazów. Znajdująca się obok mnie głowa uniosła się nagle i niżej, przy należących do niej ramionach zobaczyłem ręce w pasiastych rękawach, które szykowały się, by wrzucić ciało na jakiś wózek czy taczkę, gdzie leżał już stos innych. Jednocześnie dobiegły mnie porwane strzępy słowa, które ledwie udało mi się wyłowić, i w tym ochrypłym szepcie ledwo poznałem ten niegdyś tak dźwięczny głos. – Pro... tes... tu... ję... – mamrotał. Wtedy na moment, zanim odpłynął dalej, zawisł w powietrzu, i zaraz usłyszałem drugi głos, zapewne tego, który go trzymał za ramiona. To był przyjemny, męski, przyjazny głos, trochę obcy, na moje wyczucie obozowej niemczyzny świadczący raczej o pewnym zaskoczeniu, raczej o zdumieniu niż gniewie: – *Was? Du willst noch leben?* – chcesz jeszcze żyć, zapytał go, i rzeczywiście, ja sam w tej minucie uznałem to za dziwne, niczym nieuzasadnione, w ogóle dość głupie. Wtedy też postanowiłem: ja będę mądrzejszy. Ale już pochylali się nade mną i zacząłem mrugać, bo jakaś ręka macała mnie po oczach, jeszcze zanim i mnie cisnęli na środek stosu zwalonego na jakiś mniejszy wózek, który potem zaczęli dokądś popychać, ale nie byłem zbyt ciekawy dokąd. Zajmowała mnie tylko jedna rzecz, myśl, pytanie, które w tej chwili przyszło mi do głowy. Może to mój błąd, że nie wiedziałem – ale nigdy nie byłem tak przewidujący, żeby zapytać o buchenwaldzkie zwyczaje, regulamin, sposób postępowania – jak tu to robią: gazem jak w Oświęcimiu, może za pomocą jakiegoś lekarstwa, bo i o tym również się słyszało, kulą czy ewentualnie inaczej, jednym z tysiąca innych sposobów, których jeszcze nie znam, nawet się ich nie domyślam. W każdym razie miałem nadzieję, że nie będzie bolało, i może to dziwaczne, ale była ona równie prawdziwa, równie treściwa jak inne, prawdziwsze nadzieje, które, że tak powiem, wiążemy z przyszłością. I dopiero wtedy się dowiedziałem, że godność to takie uczucie, które towarzyszy człowiekowi aż do śmierci, jak widać, bo naprawdę, jakkolwiek nurtowała mnie ta niepewność, nie pytałem, nie prosiłem, nie powiedziałem ani słowa i nie rzuciłem nawet przelotnego spojrzenia w tył, na tego czy na tych, którzy mnie wieźli. Ale wiodąca w górę droga dotarła do zakrętu i w dole, pode mną, wyłoniła się szeroka panorama. Był tam gęsto zabudowany ogromny stok z jednakowymi kamiennymi domkami, schludna zieleń, tworzące osobną grupę, chyba nowe, nieco bardziej ponure, jeszcze niepomalowane baraki, kręta, ale widocznie uporządkowana zawiłość wewnętrznych drutów, oddzielających rozmaite strefy, i mnóstwo ogromnych, teraz nagich drzew, niknących we mgle. Nie wiem, na co czekali tam przed budynkiem ci wszyscy nadzy muzułmanie i kilku przechadzających się tam i z powrotem funkcyjnych, w towarzystwie, jeśli dobrze widziałem, fryzjerów, bo rzeczywiście poznałem ich nagle po taboretach i zwinnych ruchach – zapewne na kąpiel i wpuszczenie do obozu. Ale i głębiej, na dalekich brukowanych obozowych uliczkach także był ruch, jakaś krzątanina, uwijanie się, przejawy życia – stali mieszkańcy, chorzy, funkcyjni, magazynierzy, szczęśliwi wybrańcy wewnętrznych komand przychodzili i odchodzili, wykonywali swoje codzienne czynności. Tu i ówdzie jakieś podejrzane dymy mieszały się z przyjaźniejszymi oparami, skądś miękko dobiegł moich uszu znajomy szczęk, niczym dzwon ze snu, i mój szukający wzrok natrafił tam w dole na wlokący się pochód, uginający się pod ciężarem zarzuconych na ramiona drągów, a na nich parujących kotłów – kwaśny zapach powietrza w oddali bez wątpienia oznaczał zupę z buraków. Szkoda, bo mógł on uruchomić w mojej odrętwiałej już piersi to uczucie, którego narastająca fala nawet z moich wyschniętych oczu zdolna była wycisnąć parę cieplejszych kropli w zimną wilgoć zraszającą mi twarz.

I na darmo wszystkie przemyślenia, zrozumienie, trzeźwy rozsądek, i tak nie mogłem opacznie zrozumieć jakby wstydzących się swej niedorzeczności, a jednak wciąż uparcie powracających słów skrytego pragnienia: chciałoby mi się jeszcze trochę pożyć w tym pięknym obozie koncentracyjnym.

8

Muszę zrozumieć: pewnych rzeczy nigdy nie zdołałbym wytłumaczyć – ani dokładnie, ani z punktu widzenia moich oczekiwań, reguł, sensu życia i porządku rzeczy, przynajmniej takich, jak ja je widzę. I tak, kiedy znów gdzieś mnie zrzucili z wózka na ziemię, w żaden sposób nie mogłem zrozumieć, co mogę mieć jeszcze wspólnego z brzytwą i maszynką do strzyżenia. To bezgranicznie zatłoczone i na pierwszy rzut oka do złudzenia przypominające łaźnię pomieszczenie, na którego śliskiej drewnianej kracie położyli mnie wśród mnóstwa dreptczących lub przylegających do niej stóp, pięt, owrzodzonych łydek, podudzi, z grubsza już jakoś odpowiadało moim przewidywaniom. Jeszcze na koniec przemknęło mi przez myśl: a więc, jak widać, obowiązują oświęcimskie metody. Tym większe było moje zdziwienie, kiedy po krótkim oczekiwaniu, po syczących i bulgoczących dźwiękach niespodziewanie z górnych kranów popłynęła obfitym strumieniem ciepła woda. Niezbyt się natomiast ucieszyłem – bo chętnie pogrzałbym się jeszcze trochę, ale nic nie mogłem poradzić – kiedy nagle nieodparta siła uniosła mnie w górę z tego mrowiącego się lasu nóg, jednocześnie owinęło się wokół mnie coś w rodzaju prześcieradła, a na to jeszcze koc. Potem pamiętam ramię, na którym wisiałem głową w tył, nogami do przodu, jakieś drzwi, strome schody wąskiej klatki schodowej, jeszcze jedne drzwi, potem pomieszczenie, salę, powiedziałbym, pokój, gdzie poza przestronnością i jasnością uderzył moje niedowierzające oczy niemal koszarowy zbytek urządzenia, i wreszcie łóżko – zwyczajne, prawdziwe, wyraźnie jednoosobowe łóżko, z dobrze wypchanym słomą siennikiem i dwoma szarymi kocami – na które spadłem z tego ramienia. Dalej dwóch ludzi, zwyczajnych, pięknych ludzi z twarzami, włosami, w białych spodniach, trykotowych podkoszulkach, drewniakach; patrzyłem, zachwycałem się nimi, a oni patrzyli na mnie. Dopiero wtedy zauważyłem ich usta i usłyszałem wciąż dźwięczący mi w uszach jakiś śpiewny język. Miałem wrażenie, że czegoś sobie ode mnie życzą, ale mogłem tylko potrząsać głową: nie rozumiem. Wtedy jeden z nich powiedział po niemiecku, ale z bardzo dziwnym akcentem: – *Hast du Durchmarsch?* – to znaczy, czy nie mam biegunki, i z pewnym zdziwieniem zaobserwowałem, że mój głos, bo i czemu nie, mówi na to: – *Nein* – myślę, że wciąż, że wciąż jeszcze była we mnie ta godność, na pewno. Wtedy, po krótkiej naradzie, po odejściu i powrocie, wcisnęli mi w ręce dwa przedmioty. Jednym było naczynie z letnią kawą, drugim chleb, jak oszacowałem, mniej więcej jedna szósta bochenka. Mogłem to wziąć, mogłem to zjeść, bez żadnej ceny, bez żadnej wymiany. Potem dały o sobie znać kiszki, burzyły się, odmawiały posłuszeństwa, i to przez jakiś czas zaprzątało całą moją uwagę, a zwłaszcza pochłaniało wszystkie siły, żeby przypadkiem nie okazały się kłamstwem moje wcześniejsze słowa. Potem ocknąłem się, kiedy znów zjawił się jeden z tych dwóch, ale teraz już w butach z cholewami, pięknej granatowej czapce i pasiaku z czerwonym trójkątem.

No i znowu na ramię, po schodach w dół i tym razem prosto na powietrze. Wkrótce wkroczyliśmy do obszernego, szarego, drewnianego baraku, który stanowił coś w rodzaju ambulatorium, rewiru, jeśli się nie myliłem. Nie ma co, tu już znów wszystko mniej więcej pasowało do moich przewidywań i wydało mi się całkiem normalne, żeby nie powiedzieć: zwyczajne – tyle że teraz nie całkiem rozumiałem poprzednie traktowanie, kawę i chleb. Wzdłuż drogi, przez całą długość baraku pozdrawiały mnie dobrze znane trzypiętrowe boksy. Wszystkie pełne po brzegi i wprawne oko, jakim i ja, nie da się ukryć, dysponowałem, choćby na podstawie stosu splątanych nie do odróżnienia niegdysiejszych twarzy, powierzchni skóry z wykwitami wrzodów lub świerzbu, kości, łachmanów, szpiczastych kończyn mogło od razu oszacować, że wszystkie te szczegóły mogą oznaczać co najmniej po pięć ciał w każdej przegrodzie, a w kilku po sześć. Na dodatek na gołych deskach daremnie szukałem słomy, która przysługiwała do spania nawet w Zeitz – ale na ten czas, który mi teraz całkiem widocznie pozostał, to już się tak nie liczyło, przyznawałem. Potem, kiedy przystanęliśmy i dotarło do moich uszu coś w rodzaju rozmowy, zapewne między człowiekiem, który mnie niósł, a kimś innym, nastąpiła nowa niespodzianka. Z początku myślałem, że źle widzę, ale nie mogłem się mylić, przecież barak był tu dobrze oświetlony silnymi lampami. Po lewej stronie tu też zobaczyłem dwa rzędy normalnych boksów, tylko że deski były przykryte czerwonymi, różowymi, niebieskimi, zielonymi i fioletowymi kołdrami, na nich leżały takie same kołdry, a spośród obu warstw wystawały jedna przy drugiej ostrzyżone na łysą pałę chłopięce głowy, mniejsze lub większe, ale na ogół chłopaków mniej więcej w moim wieku. Ledwie to wszystko zauważyłem, postawiono mnie na ziemi i ktoś mnie podtrzymał, żebym się nie przewrócił, zdjęto ze mnie koc i pospiesznie owinięto mi kolano i biodro papierowym bandażem, potem włożono mi koszulę, i już się wśliznąłem między dwie warstwy kołder, między chłopaków robiących mi pospiesznie miejsce, na środkową pryczę.

Potem mnie tu zostawiono bez słowa wyjaśnienia i znów byłem zdany wyłącznie na własny rozum. W każdym razie, musiałem przyznać, jestem tu, i ten fakt, nie mogłem zaprzeczyć, wracał do mnie od nowa i nadal, wciąż jeszcze trwał. Później zrozumiałem też parę potrzebnych rzeczy. To miejsce znajduje się raczej na początku niż na końcu baraku, o czym świadczą drzwi wychodzące na dwór, a także przestronność widocznej przede mną jasnej przestrzeni – tam poruszali się i pracowali funkcyjni, pisarze, lekarze, a w cen-

tralnym punkcie był stół przykryty białym prześciera-
dłem. Ci, którzy znaleźli schronienie w najdalszych
boksach, mają przeważnie biegunkę lub tyfus, a jeśli
nie, to przynajmniej będą mieli, z całą pewnością.
Pierwszy objaw, który sygnalizuje niesłabnący smród –
to *Durchfall*, inaczej *Durchmarsch*, o co mnie też od razu
zapytali ludzie w łaźni, a według tego, przyznawałem,
moje miejsce też powinno być raczej tam, gdybym
oczywiście na ich pytanie powiedział prawdę. Dzienne
wyżywienie i kuchnia wydały mi się całkiem podobne
do Zeitz: rano kawa, już wczesnym przedpołudniem
zupa; porcja chleba to jedna trzecia lub ćwiartka, jeśli
ćwiartka, to na ogół jest też *Zulage*. Pory dnia, ze
względu na stale jednakowe oświetlenie, na które nie
miały żadnego wpływu blask czy mrok za oknem, roz-
poznawałem z trudem i tylko po pewnych nieza-
wodnych oznakach: ranek po kawie, a czas snu po co-
wieczornym pożegnaniu lekarza. Już pierwszego wieczoru nawiązałem z nim znajomość. Zwróciłem uwagę
na jakiegoś człowieka, który przystanął tuż przy
naszym boksie. Nie mógł być zbyt wysoki, bo jego
głowa znajdowała się mniej więcej na tym samym
poziomie co moja. Jego twarz była nie tylko pełna, ale
zwyczajnie tłusta, tu i ówdzie aż miękka od nadmiaru;
człowiek ów miał nie tylko podkręcone, niemal
całkiem już siwe wąsy, ale ku mojemu wielkiemu zdziwieniu, bo dotąd nie widziałem tego jeszcze w obozie koncentracyjnym, równie siwą jak gołąb, bardzo

wypielęgnowaną bródkę, schludnie przyciętą w szpic. Nosił do tego dużą, godną czapkę, ciemne spodnie, ale – choć z dobrego materiału – obozową kurtkę, opaskę z czerwonym znakiem i literą „F". Przyjrzał mi się, jak się to praktykuje z nowo przybyłymi, i coś do mnie powiedział. Odparłem jedynym zdaniem, jakie umiem po francusku: – Że ne kąpran pa, mesje. – Ui, uii – rzekł na to on, przyjaznym, nieco ochrypłym głosem – bą, bą, mą fis – i z tymi słowami położył mi przed nosem na kołdrze kostkę cukru, całkiem taką samą, jakie pamiętałem jeszcze z domu. Potem obejrzał wszystkich pozostałych chłopaków ze wszystkich boksów na wszystkich piętrach i każdy z nich dostał kostkę cukru z jego kieszeni. Niektórym kładł je na kołdrze, przy innych spędzał więcej czasu, a niektórzy nawet umieli z nim rozmawiać – tych poklepywał po twarzy, łaskotał w szyję, gawędził z nimi, jakby świergotał, tak jak człowiek świergoce ze swoimi ulubionymi kanarkami w przeznaczonej dla nich godzinie. Zauważyłem też, że dla niektórych swoich ulubieńców, zwłaszcza znających jego język, miał jeszcze po jednej kostce cukru. Dopiero wtedy pojąłem to, co tłumaczono mi zawsze w domu, jak ważną sprawą jest wykształcenie, a przede wszystkim znajomość obcych języków.

Wszystko to zrozumiałem, przyjąłem do wiadomości, ale wciąż z tym uczuciem, powiedziałbym, niemal warunkiem, że jednocześnie wciąż czekałem, jeśli nawet bliżej nie wiedziałem na co, to jednak na jakiś zwrot, wyjaśnienie zagadki, przebudzenie, że tak powiem. Nazajutrz na przykład, kiedy zajęty innymi znalazł na to czas, lekarz i na mnie wskazał palcem. Wyciągnęli mnie z mojego miejsca i położyli przed nim na stole. Wydał parę przyjaznych dźwięków, zbadał mnie, ostukał, przyciskał zimne ucho i ostro zakończony wąsik do moich piersi i pleców, pokazał: mam westchnąć i zakaszlać. Potem położył mnie na wznak, z czyjąś pomocą zdjął mi papierowe opatrunki i zajął się ranami. Obejrzał je najpierw tylko z daleka, potem przewidująco obmacał dokoła, na co natychmiast pojawiło się coś z ich wewnętrznej treści. Wtedy coś mruknął, kręcąc z zatroskaniem głową, jakby go to trochę rozstroiło, zniechęciło, jak mi się wydawało. Szybko owinął je z powrotem, jakby nie chciał już na nie patrzeć, i wyczułem: nie bardzo mu się musiały podobać, w żaden sposób nie mógł się z nimi pogodzić.

Ale zmuszony byłem stwierdzić, że oblałem egzamin także z różnych innych przedmiotów. Na przykład z leżącymi obok chłopakami w żaden sposób nie mogłem się porozumieć. Oni natomiast rozmawiali między sobą bez problemów, nade mną, nad moją głową albo przed nią, ale w ten sposób, jakby stanowiła wyłącznie jakąś przeszkodę, która stoi im na drodze. Jeszcze przedtem wypytywali mnie, kim jestem. Powiedziałem: - Ungar - i usłyszałem, jak natychmiast wzdłuż i wszerz powędrowała wieść: węgierski, Wengrija, madziarski, matiar, ągrua i jeszcze na różne inne sposoby. Jeden z nich powiedział: – Khenir!* – czyli chleb, i sposób, w jaki się przy tym zaśmiał, podchwycony od razu przez cały chór, nie pozostawił mi najmniejszej wątpliwości, że już zna, i to bardzo dobrze, moich rodaków. To było nieprzyjemne i chciałem im w jakiś sposób dać do zrozumienia, że to błąd, przecież Węgrzy wcale nie uważają mnie za jednego z nich, w gruncie rzeczy mogę tylko podzielać ich opinię o Węgrach i uważam za bardzo dziwne i niegodne, żeby właśnie z ich powodu spoglądano tu na mnie krzywym okiem – ale przyszła mi na myśl głupia przeszkoda, że mógłbym im to powiedzieć tylko po węgiersku albo może najwyżej po niemiecku, co byłoby, sam rozumiałem, jeszcze gorsze.

Był jeszcze drugi błąd, kolejny grzech, którego – w końcu przez wiele dni – w żaden sposób nie dało się maskować. Szybko się nauczyłem, że w razie potrzeby woła się tylko trochę starszego od nas chłopaka, kogoś w rodzaju salowego. Wtedy zjawiał się z płaskim i odpowiednio wyposażonym w rączkę naczyniem i wsuwaliśmy je pod kołdrę. Potem znów trzeba go było prosić: *Bitte! Fertig! Bitte!*, dopóki po nie nie przyszedł. Otóż nikt, nawet on sam, nie mógł kwestionować prawa do jednej czy dwóch takich próśb dziennie. Tylko że ja byłem zmuszony trudzić go trzy, a nawet niekiedy cztery razy na dzień, i to już, widziałem, go złościło – co nawiasem mówiąc, było zrozumiałe, nie

* Właśc. *kenyér* (węg.).

200

mogłem zaprzeczyć, mowy nie ma. Pewnego razu zaniósł nawet naczynie do lekarza, coś mu tłumaczył, argumentował, pokazywał zawartość, i ten także pomedytował trochę nad śladem przestępstwa; natomiast ruchy jego głowy i rąk znaczyły na pewno odmowę. Także wieczorem dostałem cukier: no więc wszystko w porządku, znów mogłem się zagnieździć w niewątpliwym i przynajmniej na dzisiaj wciąż jeszcze trwałym, sprawiającym wrażenie nienaruszalnego bezpieczeństwie kołder i grzejących mnie ciał.

Nazajutrz, tak gdzieś w porze między kawą a zupą, wszedł ze świata za drzwiami jakiś człowiek, jeden z wyższych dostojników, od razu to zauważyłem. Czarne sukno dużego kapelusza, śnieżnobiały fartuch, pod nim spodnie z kantami jak brzytwa, na nogach wypastowane, błyszczące półbuty, i trochę się przestraszyłem nie tyle grubo ciosanych, jakoś zbyt męskich, jakby rzeźbionych dłutem rysów jego twarzy, co fioletowoczerwonej barwy skóry, która robiła wrażenie żywego mięsa. Poza tym charakteryzowała go wysoka, masywna sylwetka, czarne włosy siwiejące już nieco na skroniach, opaska, z mojego miejsca nie do odcyfrowania z powodu założonych do tyłu rąk, a zwłaszcza czerwony trójkąt bez litery: czyli złowróżbny fakt czystej niemieckiej krwi. Nawiasem mówiąc, po raz pierwszy w życiu mogłem się gapić na kogoś, czyj obozowy numer nie zaczynał się od dziesiątków tysięcy, nie od tysięcy, nawet nie od setek, lecz składał się jedynie z dwóch cyfr. Nasz lekarz natychmiast pospieszył go powitać, ściskał mu dłoń, klepał po ramieniu, słowem, wprowadzał go w dobry nastrój jak serdecznie oczekiwanego gościa, który wreszcie zaszczyca dom swoją wizytą - i ku mojemu wielkiemu zdziwieniu nagle pojąłem, że bez najmniejszych wątpliwości, według wszelkich znaków opowiadał mu o mnie. Nawet mnie pokazał okrągłym machnięciem ręki i z jego pospiesznych, tym razem niemieckich słów wyraźnie dobiegło mnie: *zu dir*. A potem ciągnął, dowodził, przemawiał do serca, nieprzerwanie gestykulując dla lepszego zrozumienia, jakby oferował i zachwalał jakiś towar, żeby go jak najszybciej sprzedać. Tamten z początku słuchał w milczeniu, jakoś tak jak trudny, powiedziałbym, ciężki klient, pod koniec jednak wydawał się całkiem przekonany - przynajmniej tak to wyczułem z krótkiego, ostrego, skierowanego na mnie spojrzenia jego małych ciemnych oczu, już niemal takiego, jakbym był jego własnością, skinienia głową, uścisku dłoni, z jego całego zachowania - no i z rozjaśniającej się, zadowolonej twarzy naszego lekarza - po wyjściu tamtego.

Nie musiałem długo czekać, kiedy znów otworzyły się drzwi i jednym spojrzeniem zarejestrowałem więzienny pasiak, czerwony trójkąt, a na nim literę „P" - która, jak powszechnie wiadomo, jest znakiem rozpoznawczym Polaków - i napis *Pfleger* na czarnej opasce, oznaczający, że człowiek, który wszedł, pełni funkcję pielęgniarza. Ten z kolei wyglądał na młodego, mniej więcej na niewiele ponad dwudziestkę. On też nosił ładną, niebieską, choć mniejszą czapkę, spod której miękko opadały mu na uszy, a nawet kark kasztanowe włosy. Rysy jego podłużnej, ale pełnej, zaokrąglonej twarzy dla mnie były najregularniejsze i najprzyjemniejsze, różowy kolor jego skóry, wyraz trochę za dużych, miękkich warg najmilszy; słowem, był piękny i z pewnością pozachwycałbym się nim, gdyby od razu nie poszukał lekarza, który natychmiast wskazał mu na mnie, gdyby nie miał pod pachą koca, gdyby od razu, jak tylko wyciągnął mnie z łóżka, nie okręcił mnie nim i gdyby, jak widać w sposób tu normalny, nie przerzucił mnie sobie przez ramię. Nie najłatwiej mu to poszło, jako że obiema rękami uchwyciłem się oddzielającego boksy poprzecznego drąga, który akurat wyczułem pod ręką, na chybił trafił, instynktownie, że tak powiem. Nawet odrobinę było mi wstyd: wtedy się dowiedziałem, jak parę dni życia może nam zawrócić w głowie, utrudnić nasze sprawy. Ale on okazał się silniejszy i daremnie wymachiwałem rękami, waliłem go obiema pięściami w żebra i okolice nerek, z tego też tylko się śmiał, jak wyczułem po drganiu jego ramienia, więc dałem spokój i zrezygnowałem, niech mnie niesie, gdzie mu się podoba.

Są dziwne miejsca w Buchenwaldzie. Możesz dotrzeć do jednego z tych schludnych zielonych baraków za drutami, który dotychczas – jeśli jesteś obywatelem małego lagru – podziwiałeś na dobrą sprawę tylko z daleka. Teraz natomiast dowiadujesz się, że mają one – to znaczy przynajmniej ten – połyskujące podejrzaną czystością korytarze. Z korytarza otwierają się drzwi, zwyczajne, białe, prawdziwe drzwi, a za jednymi z nich wita cię ciepły, widny pokój i już gotowe, jakby czekające tylko na twoje przybycie puste łóżko. Na łóżku czerwona kołdra. Twoje ciało zagłębia się w wypchany siennik. Między wami biała, chłodna warstwa, możesz się przekonać, że nie pomyliłeś się: to naprawdę prześcieradło. Także pod karkiem czujesz niezwyczajny, ale wcale nie przykry ucisk, powoduje go dobrze wypchana słomą poduszka w białej powłoczce. *Pfleger* składa na cztery i kładzie ci przy nogach koc, w którym cię przyniósł: to znaczy, że i koc masz do dyspozycji, gdybyś przypadkiem był niezadowolony z temperatury w pokoju. Potem z jakąś tekturą i ołówkiem w ręku siada na skraju twojego łóżka i wypytuje cię o nazwisko. Powiedziałem mu: – *Vier-und-sechzig, neun, ein-und-zwanzig.* – Zapisuje, ale wciąż się upiera i musi potrwać jakiś czas, zanim zrozumiesz, że interesuje go też nazwisko – *Name* – i znów dobra chwila, jak to na przykład zdarzyło się mnie, zanim je odnajdziesz, grzebiąc we wspomnieniach. Kazał mi je trzy albo cztery razy powtórzyć, i dopiero wtedy wreszcie sprawiał wrażenie, jakby zrozumiał. Potem mi nawet pokazał, co napisał, i na górze czegoś w rodzaju podzielonej liniami karty choroby przeczytałem:

„Kewischtjerd". Zapytał, czy „jest dobrze": – *Gut?* – a ja mu powiedziałem: – *Gut* – na co położył kartę na stole i odszedł.

A więc – przecież niewątpliwie masz czas – możesz się rozejrzeć, pooglądać, zorientować się trochę. Możesz na przykład stwierdzić, gdybyś tego dotychczas nie zauważył, że w pokoju są też inni. Wystarczy na nich spojrzeć, żeby bez trudu odgadnąć: oni wszyscy muszą być chorzy. Widzisz w końcu, że ten kolor, to miłe dla oka wrażenie, ta panująca tu wszędzie ciemna czerwień, jest kolorem błyszczących jak lakierowane desek podłogi, a kołdry na wszystkich łóżkach są dobrane w tym samym odcieniu. Łóżek jest mniej więcej dwanaście. Wszystkie jednoosobowe, a piętrowe jest właśnie to, na którego parterze, przy zbitym z pomalowanych na biało listewek przepierzeniu po prawej stronie, leżę ja, poza tym przede mną, koło przeciwległego przepierzenia, są jeszcze dwa takie. Możesz nie rozumieć tego całego niewykorzystanego miejsca, dużych, co najmniej metrowych odstępów między równymi rzędami łóżek, i może cię zadziwić rozrzutność, kiedy tu i ówdzie dostrzegasz nawet jakieś puste. Możesz odkryć bardzo porządne, podzielone na liczne małe prostokąty okno, które służy wpuszczaniu światła, i może też wpaść ci w oczy na poszewce twojej poduszki przedstawiająca jasnobrązowego orła o zakrzywionym dziobie pieczęć, której litery „Waffen-SS" też na pewno odkryjesz. Natomiast twarze daremnie próbowałbyś badać, szukać jakiegoś znaku, przejawu czegoś, rozpoznać emocje związane z twoim przybyciem – sądząc, że to przecież na pewno jakaś nowość – zainteresowanie, rozczarowanie, radość, gniew, cokolwiek, choćby jakąś przelotną ciekawość, i im dłuższa będzie ta cisza, tym bardziej stanie się przykra, tym bardziej krępująca, w pewnym sensie można by powiedzieć, bardziej tajemnicza; gdybyś tu przypadkiem zabłądził, przekonałbyś się, że to niewątpliwie najdziwniejsze wrażenie. Na kwadratowej wolnej powierzchni, którą otaczają łóżka, możesz zobaczyć mniejszy, biało przykryty stół, przy przeciwległej ścianie większy, wokół niego parę krzeseł, koło drzwi duży, ozdobny, szumiący w najlepsze żelazny piec, a z boku czarno połyskujący pojemnik pełen węgla.

I wtedy zaczynasz łamać sobie głowę: jak masz właściwie to wszystko traktować, ten pokój, ten żart z kołdrą, z łóżkami, z ciszą. Może ci przyjść do głowy to i owo, próbujesz sobie przypominać, wyciągać wnioski, czerpać z twoich wiadomości, przebierać. Może – zastanawiasz się podobnie jak ja – to też jest takie miejsce, o jakich słyszeliśmy jeszcze w Oświęcimiu, gdzie karmi się podopiecznych mlekiem i miodem, dopóki nie wytnie się im wszystkich organów w celach naukowych, dla wiedzy. Ale jednak – musisz przyznać – to wyłącznie jedno założenie, jedna z wielu możliwości, no a poza tym nie widziałem tu ani śladu mleka, a zwłaszcza miodu. Przyszło mi nawet na myśl, że już dawno pora na zupę, a tu ani śladu, dźwięku czy zapachu. I tak zrodziła się w mojej głowie myśl, niewykluczone, że w pewnym sensie wątpliwa, ale kto mógłby ocenić, co jest możliwe i wiarygodne, kto mógłby wyczerpać, kto dojść do tych wszystkich niezliczonych pomysłów, wynalazków, zabaw, żartów i zamierzeń do przemyślenia, które wszystkie co do jednego mogą być w obozie koncentracyjnym wykonane, zrealizowane, sprawnie przeniesione ze świata wyobraźni do realnego. Otóż, medytowałem, wprowadzają na przykład człowieka do takiego samego pokoju. Kładą go, załóżmy, do takiego samego łóżka z kołdrą. Pielęgnują go, dbają o niego, zrobiliby dla niego wszystko – tylko właśnie nie daliby mu jeść, załóżmy. Wydawałoby się, że i to może ewentualnie stanowić przedmiot obserwacji, na przykład, kto w jaki sposób umiera śmiercią głodową – w końcu to też może mieć swoje znaczenie, jakiś głębszy sens, czemu nie, musiałem to przyznać. Jakkolwiek kombinowałem, ta myśl wydawała się coraz bardziej konkretna, coraz użyteczniejsza, musiała zatem na pewno przyjść również do głowy komuś bardziej kompetentnemu. Przyjrzałem się sąsiadowi, choremu, który leżał jakiś metr ode mnie po lewej. Był stareńki, łysawy, jego twarz zachowała jeszcze coś z dawnych rysów, a nawet tu i ówdzie trochę ciała. Ponadto zauważyłem, że jego uszy zaczynają podejrzanie przypominać woskowe płatki sztucznych kwiatów, a w okolicach oczu i na czubku nosa dobrze już znaną żółtość. Leżał na wznak, kołdra poruszała się lekko w górę i w dół: wyglądał, jakby spał. Na wszelki wypadek, tylko na próbę, szepnąłem do niego: - Rozumiemy po węgiersku? - Nic, wydawało się, że nie tylko nie zrozumiał, lecz nawet nie usłyszał. Już się odwróciłem i właśnie szykowałem się, by w dalszym ciągu snuć myśli, kiedy niespodziewanie dobiegł moich uszu całkiem wyraźny szept: - Tak... - To on, niewątpliwie, choć nie otworzył oczu i nie zmienił pozycji. Ja natomiast ucieszyłem się jak głupi, tak bardzo, nawet nie wiem dlaczego, że na parę minut zapomniałem, czego właściwie od niego chcę. Zapytałem: - Skąd pan przyjechał? - i znów odpowiedział po wydającej się wiecznością pauzie: - Z Budapesztu... - Zainteresowałem się: - Kiedy? - i po dłuższej chwili cierpliwości mogłem się dowiedzieć: - W listopadzie... - Dopiero potem wreszcie spytałem: - Dają tu jeść? - a on po upływie właściwego czasu, który widocznie z jakichś względów był mu potrzebny, odpowiedział: - Nie... - Zapytałem...

Ale właśnie w tej chwili znów wszedł *Pfleger* i ruszył prosto do niego. Odrzucił kołdrę, owinął go w koc i tylko patrzyłem, z jaką łatwością bierze na ramię, a potem wynosi za drzwi to - dopiero teraz zobaczyłem - jeszcze dość ciężkie ciało, z którego brzucha powiewa jakby na pożegnanie kawałek uwolnionego papierowego bandaża. Jednocześnie rozległ się krótki trzask i elektryczne skwierczenie. Potem pojawił się głos:

- Friseure zum Bad, Friseure zum Bad - czyli „Fryzjerzy do łaźni, fryzjerzy do łaźni". Był to głos lekko grasejujący, poza tym bardzo przyjemny, przymilny, powiedziałbym, tak miękki, że wpadający w ucho, i śpiewny – z tego rodzaju, co to dotyka cię niby wzrok, i za pierwszym razem omal nie wyrzucił mnie z łóżka. Zobaczyłem jednak, że w chorych wywołał mniej więcej tyle podniecenia, co przedtem moje przybycie, zatem wydarzenie musiało zapewne należeć do codziennych. Odkryłem z prawej strony nad drzwiami brązową skrzynkę, coś w rodzaju obudowy radia, i domyśliłem się, że to z niej płyną wydawane gdzieś przez żołnierzy rozkazy. Wkrótce powrócił *Pfleger,* znów do sąsiedniego łóżka. Poprawił kołdrę i prześcieradło, wsunął przez szparę rękę do siennika i z tego, jak porządkował słomę, a potem jeszcze raz prześcieradło i kołdrę, zrozumiałem: mało prawdopodobne, bym jeszcze ujrzał tamtego człowieka. I nic nie mogłem poradzić, że moja wyobraźnia znów zaczęła zadawać pytania: czy to nie za karę, że wygadał tajemnicę, że – w końcu czemu by nie – złapano, podsłuchano to przez jakiś podobny do tego na ścianie aparat, urządzenie, kto wie jakie. Ale znów zwróciłem uwagę na głos, tym razem pewnego chorego z trzeciego łóżka ode mnie w kierunku okna. Był bardzo chudy, młody, o białej twarzy, miał też włosy, na dodatek gęste, jasne, falujące. Dwa lub trzy razy wymówił to samo słowo, a raczej wyjęczał, przeciągając zgłoski, imię, które wreszcie udało mi się

wyłowić: – Pietka!... Pietka!... – na co *Pfleger* powiedział, także przeciągle i jak mi się wydawało, dość uprzejmie: – Co? – Wtedy chory powiedział coś dłuższego, a Pietka – bo zrozumiałem: tak widocznie musi się nazywać *Pfleger* – podszedł do jego łóżka. Długo coś mu szeptał, jakoś tak, jak kiedy przemawiamy komuś do serca, prosimy o jeszcze odrobinę cierpliwości, jeszcze troszeczkę wytrwałości. Jednocześnie, sięgając za jego plecy, uniósł go nieco, poprawił mu poduszkę, porządnie ułożył kołdrę, a wszystko to przyjaźnie, chętnie, miło – słowem, w taki sposób, który zupełnie gmatwał, niemal zadawał kłam moim dotychczasowym przypuszczeniom. To, co się pojawiło na odchylającej się znowu w tył twarzy, mogłem uznać jedynie za wyraz ukojenia, jakiejś ulgi, zamierające, ciche jak westchnienie, a jednak dobrze słyszalne słowa: – Dziękuję... dziękuję bardzo... – jedynie za podziękowanie, jeśli się nie myliłem. A ostatecznie zburzył moje trzeźwe rozważania ten zbliżający się szmer, potem hałas, potem napływający aż tu z korytarza brzęk, którego nie można było pomylić z żadnym innym, który całego mnie wzburzył i wypełnił narastającym, niecierpliwym oczekiwaniem. Na korytarzu hałas, krzątanina, postukiwanie drewnianych trepów, potem niecierpliwy okrzyk grubego głosu: – Zal zeks! Essnhola! – czyli: *Saal sechs! Essenholen!*, to znaczy: Sala sześć! Po jedzenie! *Pfleger* wyszedł, potem z czyjąś pomocą, widziałem tylko rękę w uchylonych drzwiach, wciągnął ciężki kocioł i pokój od razu wypełnił się wonią zupy, jeśli nawet była dziś tylko *Dörrgemüze*, znana mi już zupa z pokrzywy. Czyli że i co do tego musiałem się pomylić.

Później zaobserwowałem już więcej, w miarę jak mijały godziny, pory dnia, a potem całe dni, zrozumiałem też wiele innych rzeczy. W każdym razie po pewnym czasie, jeśli nawet powściągliwie, jeśli nawet ostrożnie, to jednak musiałem przyznać, że jak widać, i to jest możliwe, i to jest wiarygodne, tylko po prostu trochę bardziej niezwykłe, no i oczywiście przyjemniejsze, ale jak się zastanowić, wcale nie dziwniejsze od jakichkolwiek innych dziwności, bo w obozie koncentracyjnym wszystko jest możliwe i wiarygodne, nawet rzeczy zupełnie sprzeczne, oczywiście. Jednak z drugiej strony właśnie to mi przeszkadzało, niepokoiło, w jakiś sposób podkopywało moje bezpieczeństwo: w końcu, jak pomyśleć, nie widziałem żadnego powodu, nie mogłem znaleźć żadnej sensownej, żadnej znajomej mi, zrozumiałej przyczyny tego, że przypadkiem znalazłem się akurat tu, a nie gdzie indziej. Z wolna odkryłem, że wszyscy tutejsi chorzy noszą opatrunki, nie tak jak w poprzednim baraku, i wtedy z czasem przyjąłem założenie, że tam pewnie mieści się interna, podczas gdy tu, kto wie, może oddział chirurgiczny; ale i tak, oczywiście, w żaden sposób nie mogło to w moich oczach stanowić dostatecznego powodu, właściwego wyjaśnienia tej pracy, tej całej operacji, tego dostrojonego do rzeczywistości łańcucha rąk, ramion i zamierzeń, który, jak sobie przypominałem, w rezultacie zaprowadził mnie z wózka aż do tego pokoju, do tego łóżka. Próbowałem też wybadać sąsiadów, czegoś się o nich dowiedzieć. Na ogół, jak zauważyłem, musieli to być dawniejsi więźniowie. Żadnego z nich nie uważałem za funkcyjnego, choć nie mogłem ich też porównywać z więźniami z Zeitz. Z czasem też rzuciło mi się w oczy, że wszyscy wpadający do nich zawsze o tej samej wieczornej godzinie na parę minut goście noszą na piersi czerwone trójkąty, a na przykład – ani trochę mi tego nie brakowało – nie widziałem ani jednego zielonego czy czarnego i – tego już brakowało moim oczom – żółtego. Słowem, byli inni pod względem krwi, języka, wieku, ale poza tym byli też w jakiś sposób inni niż ja czy ktokolwiek, kogo dotychczas zawsze z łatwością rozumiałem, i to mnie w jakimś sensie krępowało. Z drugiej jednak strony, czułem to, właśnie tu może być, właśnie w tym kryje się wytłumaczenie. Na przykład taki Pietka: co wieczór zasypiamy z jego „dobranoc", co rano budzimy się na jego słowa „dzień dobry". Zawsze utrzymuje wzorowy porządek w pokoju, wyciera podłogę mokrą szmatą owiniętą na kiju, przynosi codzienną porcję węgla, pali w piecu, rozdaje jedzenie, zmywa menażki i łyżki, jeśli trzeba, nosi chorych i kto wie, co jeszcze robi. Jeśli nawet nie mówi za dużo, to jego uśmiech i gotowość są zawsze jednakowe, słowem, jakby miał nie tylko ważną funkcję, w końcu jest najważniejszą osobą w pokoju, lecz był też człowiekiem do usługiwania chorym, pielęgniarzem, pflegerem, tak jak to jest wypisane na jego opasce, naprawdę.

Albo lekarz – bo jak się okazało, tutejszym lekarzem, a nawet naczelnym lekarzem, jest człowiek o twarzy z surowego mięsa. Ranki jego odwiedzin, powiedziałbym, wizyt, są zawsze takie same, to niezmienna ceremonia. Pokój jest właśnie gotowy, kawa wypita, naczynia schowane za zasłoną z koca, gdzie Pietka je trzyma, kiedy na korytarzu postukują już znajome kroki. W następnej minucie energiczna ręka otwiera na oścież drzwi, potem z powitaniem, mającym prawdopodobnie brzmieć *Guten Morgen*, z którego słyszalny jest tylko przeciągły gardłowy dźwięk „Moog'n", wchodzi lekarz. Odpowiadać na to nie wypada, on zresztą całkiem wyraźnie tego nie oczekuje, chyba że od Pietki, który wita go uśmiechem, odkrytą głową i pełną szacunku postawą, ale jak to niejednokrotnie mogłem zauważyć, nie z tym szczególnym, dobrze znajomym szacunkiem, który jesteśmy winni znacznie wyżej od nas postawionym zwierzchnikom, tylko raczej jakoś tak, jakby szanował go całkiem po prostu, z własnego uznania, z własnej nieprzymuszonej woli, że tak powiem. Potem lekarz bierze kolejno z białego stolika przygotowane już wcześniej przez Pietkę karty choroby – tak jakby, powiedzmy, były prawdziwymi kartami choroby, powiedzmy, w prawdziwym szpitalu, gdzie nie istnieje nic ważniejszego, nic bardziej oczywistego niż, powiedzmy, samopoczucie chorych. Potem, zwracając się do Pietki, robi do niektórych kart taką czy inną uwagę, dokładniej, robi zawsze tylko dwie uwagi. – Kewisch... *Was? Kewischtjerd!* – może na przykład przeczytać, ale zgłosić się, odpowiedzieć lub dać jakikolwiek znak naszej tu obecności, jak się tego szybko nauczyłem, byłoby równym nietaktem, jak odpowiedzieć na jego powitanie. – *Der kommt heute’raus!* – może powiedzieć, przez co, zauważyłem z czasem, zawsze rozumie, że przed południem chory, jeśli może, na własnych nogach, jeśli nie, to na ramieniu Pietki, ma się znaleźć między nożyczkami i papierowymi bandażami w jego ambulatorium, mieszczącym się gdzieś o dziesięć, piętnaście kroków od wyjścia z naszego korytarza. (On, nawiasem mówiąc, nie pytał mnie o zgodę, jak lekarz w Zeitz, i ani trochę nie przeszkadzały mu też moje krzyki, kiedy nożyczkami o dziwnym kształcie robił mi dwa nowe nacięcia na biodrze – ale w tym, jak później wyciskał moje rany, wykładał je w środku gazą, a w końcu, wprawdzie bardzo oszczędnie, ale jednak posmarował je jakąś maścią, musiałem dostrzec niekłamane znawstwo.) Natomiast druga możliwa uwaga: – *Der geht heute nach Hause!* – znaczy tyle, że uważa tego pacjenta za już wyleczonego, a więc może odejść *nach Hause*, czyli do domu, czyli do obozowego bloku, do pracy, do swojego komanda, oczywiście. Nazajutrz znów wszystko odbywa się tak samo, jest dokładną kopią tego samego porządku, w którym Pietka, my, chorzy, i niemal także znajdujące się w pokoju przedmioty wydajemy się z jednakową powagą uczestniczyć, wypełniać swoje role, iść na rękę, tę niezmienność codziennie powtarzać, umacniać, ćwiczyć, potwierdzać, słowem: jakby nie było nic bardziej naturalnego, nic mniej wątpliwego niż to, że dla niego jako lekarza oczywistą sprawą i troską, jedynym i niecierpliwie oczekiwanym celem jest leczenie, natomiast dla nas chorych jak najszybsze, całkowite wyzdrowienie, a potem powrót do domu.

Później co nieco się o nim dowiedziałem. Może się mianowicie zdarzyć, że w ambulatorium jest duży ruch, są też inni. Wtedy Pietka zsadza mnie z ramienia na boczną ławkę i tu muszę czekać, aż lekarz, który jest na przykład w dobrym humorze, naglącym zaproszeniem: – *Komm, komm, komm, komm!* – i właściwie przyjaznym, ale i tak wcale nie przyjemnym ruchem chwyci mnie za ucho i z rozmachem wciągnie na stół operacyjny. A innym razem mogę trafić na prawdziwy tłok: pielęgniarze przynoszą i odnoszą pacjentów, zjawiają się chodzący chorzy, w pokoju pracują też inni lekarze i pielęgniarze i może się zdarzyć, że wtedy potrzebny zabieg wykona mi inny, niższy rangą lekarz, skromniej, gdzieś z boku, dalej od stojącego pośrodku stołu operacyjnego. Jednego z nich, raczej niskiego, siwowłosego, o nosie drapieżnego ptaka, z czerwonym trójkątem bez żadnej litery i noszącego jeśli nie dwu- lub trzycyfrowy, to mimo wszystko bardzo wytworny czterocyfrowy numer, poznałem, powiedziałbym nawet, że się z nim zaprzyjaźniłem. To on mi wspomniał – co później potwierdził też Pietka – że nasz lekarz przebywa w obozie koncentracyjnym już pełnych dwanaście lat. – *Zwölf Jahre in Lager* – powiedział cicho, kiwając głową z taką miną, jakby mówił o bardzo rzadkim, nie całkiem prawdopodobnym i przynajmniej jego zdaniem, jak mi się wydawało, po prostu niewykonalnym osiągnięciu. Zapytałem go: – *Und Sie?* – *O, ich* – natychmiast zmieniła mu się twarz – *seit sechs Jahre bloss* – wszystkiego sześć lat, załatwił sprawę jednym machnięciem ręką, jak jakiś drobiazg, coś, o czym w ogóle nie warto mówić. Właściwie jednak to on mnie wypytywał, interesował się, ile mam lat, jak się tu znalazłem z tak daleka, i tak zaczęła się nasza rozmowa. – *Hast du' was gemacht?* – czy coś zrobiłem, może coś złego, zapytał, a ja mu powiedziałem: nic, *nichts*, nic na świecie. Zainteresował się więc, dlaczego tu jestem, odparłem, że z tej samej prostej przyczyny, dla której są tu inni tacy jak ja. No ale, upierał się w dalszym ciągu, za co zostałem aresztowany, *verhaftet*, i zrelacjonowałem mu pokrótce, jak umiałem, tamten ranek z autobusem, komorą celną, a potem z żandarmerią. – *Ohne dass deine Eltern* – czy czasem nie bez wiedzy moich rodziców, chciał się dowiedzieć, na co ja: – *Ohne* – oczywiście. Wyglądał, jakby całkiem osłupiał, jakby nigdy nic takiego nie słyszał, więc pomyślałem: no, przez sześć lat tutaj mało miał wspólnego ze światem, jak widać. Zaraz przekazał nowinę pracującemu obok lekarzowi, a ten podał ją dalej lekarzom, pielęgniarzom, pacjentom o lepszym wyglądzie. W końcu połapałem się, że zewsząd patrzą na mnie kręcący głowami ludzie, z jakimś szczególnym wyrazem twarzy, co mnie trochę krępowało, bo miałem wrażenie, że się nade mną litują. Nabrałem wielkiej ochoty, żeby im powiedzieć: przecież nie ma żadnego powodu, przynajmniej w tej chwili – ale potem jednak nic nie powiedziałem, coś mnie powstrzymało, nie mogłem się zdobyć na takie sformułowanie, bo kiedy na nich patrzyłem, zdałem sobie sprawę, że to uczucie litości sprawia im jakąś przyjemność, jakąś radość. Później – oczywiście możliwe, że się mylę, ale nie sądzę, bo i kiedy indziej zdarzało się, że mnie wypytywali – miałem nawet wrażenie, że zwyczajnie szukają okazji, sposobności, pretekstu do tego uczucia, z jakiegoś powodu, potrzeby, jakby dla udowodnienia czegoś, może, kto wie, czy w ogóle są jeszcze do niego zdolni, mnie przynajmniej tak się wydawało. A potem patrzyli na siebie w taki sposób, że rozglądałem się przestraszony, czy nie ma w pobliżu kogoś niepowołanego, ale mój wzrok natrafiał tylko wszędzie na jednakowo spochmurniałe czoła, zwężające się oczy, zaciskające wargi, jakby nagle coś przyszło im na myśl i zyskało potwierdzenie w ich oczach, myślałem więc: może powód, dla którego się tu znaleźli.

Albo na przykład tacy goście: tym też się przypatrywałem, próbowałem wyśledzić, wybadać, jakie wiatry, jakie sprawy ich sprowadzają. Przede wszystkim zwróciłem uwagę, że przychodzą przeważnie pod wieczór, na ogół zawsze o tej samej porze: zrozumiałem z tego, że także tu, w Buchenwaldzie, w dużym lagrze, może być taka godzina jak u nas w Zeitz, tu też zapewne między powrotem komand a wieczornym apelem. Najwięcej przychodziło z literą „P", ale widywałem również „J", „R", „T", „F", „N", a nawet „No" i kto wie, jakie tam jeszcze były; w każdym razie mogę powiedzieć, że dzięki nim dowiedziałem się o wielu ciekawych sprawach, nauczyłem się wielu nowych rzeczy, a nawet zyskałem pewien dokładniejszy wgląd w tutejsze stosunki, warunki, życie towarzyskie, że tak powiem. W Buchenwaldzie stali mieszkańcy są niemal piękni, mają pełne twarze, żwawe ruchy i chód, wielu z nich ma pozwolenie na włosy, a pasiaki noszą tylko na co dzień, do pracy, jak to widziałem u Pietki. Natomiast kiedy wieczorem, jak już rozdzieli u nas chleb (zwykle jedną trzecią lub ćwiartkę i do tego przysługujący lub nie przysługujący *Zulage*) i na przykład wybiera się w odwiedziny, on też wkłada koszulę lub sweter, a do tego z odrobinę skrywaną przed chorymi, jednak bardzo wyraźnie widoczną w twarzy i ruchach przyjemnością wybiera ze swej garderoby modny brązowy garnitur w delikatne prążki – marynarka ma jedynie wycięty na plecach kwadrat załatany kawałkiem pasiaka, a spodnie po obu bokach naniesione pędzlem i nie do zmycia długie smugi czerwonej farby olejnej, no i jeszcze usterki na piersi i lewej nogawce, polegające na czerwonym trójkącie i numerze. Miałem sporo przykrości, powiedziałbym, byłem wystawiony na niejedną próbę, kiedy Pietka szykował się na przyjęcie wieczornego gościa. Powodem była pewna niedogodność urządzenia: przypadkiem gniazdko elektryczne znajdowało się tuż przy moim łóżku. No więc choćbym się nie wiadomo jak starał czymś wtedy zająć, gapić się w śnieżną biel sufitu, emaliowany klosz lampy, zagłębić w myślach, musiałem w końcu zauważyć, jak Pietka przykuca z miską i osobistą maszynką elektryczną, słyszeć skwierczenie rozgrzewającej się margaryny, wdychać natrętny zapach smażonych płatków cebuli, rzuconych na nie krążków ziemniaków, a niekiedy nawet pokrojonego wurstu z *Zulage*, kiedyś zwróciłem uwagę na lekkie, specyficzne stuknięcie i nasilające się skwierczenie – jak dostrzegłem, od razu odwracając oczy, w których długo mi się jeszcze mieniło ze zdumienia, spowodował je przedmiot o żółtym wnętrzu i białej otoczce: jajko. Kiedy już wszystko jest usmażone, przygotowane, wkracza gość.

– Dobry wieczór! – mówi z przyjaznym skinieniem głową, bo on też jest Polakiem, jego imię słyszę jako Zbyszek, kiedy indziej jako Zbyszku, co może jest zdrobnieniem, i także pełni funkcję pflegera, gdzieś dalej, jak się dowiaduję, w innej sali. On też przychodzi wystrojony, w butach z cholewami, w krótkim, sportowym, stosownym na polowania, granatowym sukiennym kubraku, choć na plecach, oczywiście, też z łatą i z numerem na piersi, pod nim ma wysoki pod brodę czarny golf. Rosły, masywny, z głową ogoloną z konieczności lub może z własnej woli i pogodnym, nieco chytrym wyrazem tęgiej twarzy wydawał mi się miłym, sympatycznym człowiekiem, choć niechętnie zamieniłbym na niego Pietkę. Potem siadają przy większym stole w końcu pokoju, jedzą kolację, rozmawiają, czasami włączają się do tej rozmowy jakimś cichym słowem czy uwagą niektórzy polscy pacjenci, albo żartują, opierając łokcie na stole, siłują się i ku wielkiej radości całego pokoju – oczywiście także mojej – przeważnie Pietce udaje się położyć na stole pozornie silniejsze ramię Zbyszka, słowem, zrozumiałem: ci dwaj dzielą tu korzyści i straty, radości i smutki, wszelkie sprawy, ale widocznie dzielą też między sobą majątek, dzienną porcję – czyli są przyjaciółmi, jak się zwykło mówić. Poza Zbyszkiem bywają także u Pietki inni, wymieniają kilka szybkich słów, niekiedy jakiś przedmiot, i jeśli nawet nigdy nie widziałem jaki, to jednak w gruncie rzeczy zawsze było to dla mnie jasne, zrozumiałe, oczywiście. Goście przychodzili też do leżących tu chorych, szybko, przemykając się, ukradkiem, niemal w tajemnicy. Siadali na minutę czy dwie przy ich łóżku, czasami kładli im na kołdrze owinięte w gruby papier paczuszki, skromnie, jakby się usprawiedliwiając. Potem – choć nie słyszałem ich szeptów, a gdybym nawet słyszał, i tak bym nie zrozumiał – jakby się dopytywali: no więc czy wracają do zdrowia, co słychać; informowali: tam sprawy wyglądają tak i tak; przekazywali: ten i ów pozdrawia i pyta, jak się czują; zapewniali: oczywiście, że przekażą pozdrowienia, jakżeby nie; przypominali sobie: no ale na nich już pora, w końcu poklepywali chorych po rękach, ramionach, jakby mówili: to nic, w najbliższym czasie znów przyjdą, i z tym odchodzili, teraz też przemykając się, pospiesznie, najczęściej wyraźnie zadowoleni – ale poza tym bez żadnych innych korzyści, uchwytnego zysku, jak widziałem, a więc musiałem założyć, że przychodzili tylko po jedno, jak widać: po tych zaledwie parę słów, po nic więcej, jak tylko po to, żeby się zobaczyć z tym chorym. Ponadto, i gdybym nawet nie wiedział, świadczył o tym sam ich pośpiech, prawdopodobnie robili coś zakazanego, co zapewne było w ogóle możliwe tylko dzięki pobłażliwości Pietki, no i chyba pod warunkiem, że wizyta będzie krótka. A nawet podejrzewam, i po dłuższym doświadczeniu ośmieliłbym się stwierdzić to bez ogródek, że do wydarzenia należy też samo ryzyko, ta samowola, powiedziałbym, przekora – tak przynajmniej odbierałem trudny do określenia, ale weselejący jakby w wyniku jakiegoś udanego psikusa wyraz tych szybko znikających twarzy, jakby, wydawało się, udało się im coś zmienić, wybić szczelinę, zrobić w czymś mikroskopijną usterkę, w pewnym porządku, w monotonii dni, może w samej naturze, tak to sobie przynajmniej wyobrażałem. Ale najdziwniejszych ludzi zobaczyłem przy łóżku chorego, który leżał daleko ode mnie, przy przeciwległym przepierzeniu. Pietka przyniósł go na ramieniu jeszcze przed południem i potem bardzo długo krzątał się koło niego. Widziałem, że to musi być ciężki przypadek, i słyszałem, że chory jest Rosjaninem. Wieczorem goście zapełnili pół pokoju. Widziałem dużo „R", ale także innych liter, futrzane czapki, dziwne, watowane spodnie. Na przykład ludzi z fryzurą po jednej stronie, a po drugiej, od przedziałka, z zupełnie łysą głową. Jeszcze innych z normalnymi włosami, ale z przecinką szerokości maszynki do strzyżenia pośrodku, od czoła do karku. Kurtki ze zwykłą łatą i dwoma czerwonymi, krzyżującymi się maźnięciami pędzla, takimi jak te, kiedy na przykład wykreślamy coś niepotrzebnego z tekstu, jakąś literę, cyfrę, znak. Z innych natomiast pleców błyszczało z daleka duże czerwone koło, z wielką czerwoną kropką w środku, zapraszająco, wabiąco, jakby sygnalizując na wzór tarczy strzelniczej: tu trzeba strzelać, przy okazji. Stali tam, przytupywali, naradzali się cicho, jeden z nich pochylił się, żeby poprawić poduszkę, inny chyba – tak to odebrałem – starał się pochwycić jakieś słowo, jakieś spojrzenie, i nagle zobaczyłem połyskującą między nimi żółtą rzecz, znalazł się też skądś nóż, z pomocą Pietki blaszany kubek, usłyszałem dźwięk tryskających na metal kropli i jeśli nie wierzyłem oczom, nos bez najmniejszych wątpliwości stwierdził, że tą rzeczą, którą widziałem, była cytryna, bezdyskusyjnie, naprawdę. Potem znów otworzyły się drzwi i całkiem osłupiałem, ponieważ tym razem pospiesznie wszedł lekarz, czego dotychczas nigdy nie zaobserwowałem o tak niezwykłej porze. Zaraz zrobili mu przejście, a on, pochyliwszy się nad chorym, badał go, coś na nim macał, krótko, i zaraz potem odszedł, i to z bardzo ponurą, surową, powiedziałbym, kąśliwą twarzą, nie mówiąc do nikogo ani jednego słowa, nie obdarzając nikogo ani jednym spojrzeniem, a nawet jakby starał się unikać kierujących się ku niemu twarzy – tak mi się przynajmniej wydawało. Wkrótce zobaczyłem, że goście jakoś dziwnie przycichli. Kilku z nich odłączyło się od grupki, podeszło do łóżka, pochyliło się nad nim. Potem zaczęli wychodzić, pojedynczo, po dwóch, tak jak przychodzili, ale teraz trochę bardziej sterani życiem, trochę bardziej zatroskani, trochę bardziej zmęczeni, i nawet jakoś ja sam pożałowałem ich w tej minucie, bo przecież widziałem: jakby ostatecznie stracili może jakąś niedorzecznie żywioną nadzieję; może jakąś potajemnie pielęgnowaną wiarę. A później Pietka bardzo delikatnie wziął ciało na ramię i gdzieś je wyniósł.

I w końcu był tam jeszcze mój człowiek. Natknąłem się na niego w umywalni – bo powolutku przestało mi przychodzić do głowy, by myć się gdzie indziej niż w mieszczącej się po lewej, na końcu korytarza umywalni pod odkręcanym i zakręcanym kranem, nad umywalką, a i tu myłem się nie z obowiązku, tylko z przyzwoitości, a nawet z czasem połapałem się, że mam niemal za złe brak ogrzewania, ciepłej wody i ręcznika. Także tu można znaleźć czerwoną, przenośną, podobną do otwartej szafy toaletę, której zawsze czystego zbiornika nie wiadomo kto dogląda, wymienia go, czyści. Pewnego razu, kiedy właśnie zbierałem się do wyjścia, do umywalni wszedł jakiś człowiek. Był ładny, z gładkimi, czarnymi włosami zaczesanymi do tyłu, które z obu stron niesfornie opadały mu na czoło, trochę zielonkawą cerą, jak to się niekiedy zdarza u silnych brunetów, w sile wieku, zadbany, w białym fartuchu, i wziąłbym go za lekarza, gdyby napis na jego opasce nie poinformował mnie, że jest tylko pflegerem, natomiast litera „T" na czerwonym trójkącie świadczyła, że jest Czechem. Drgnął na mój widok i jakby się zdziwił, a nawet zmieszał i taki zmieszany patrzył na moją twarz i wystającą z koszuli szyję. Zaraz też o coś zapytał, a ja mu powiedziałem to, co zdołałem już sobie przyswoić z rozmów Polaków: – Nie rozumiem. – Wtedy zainteresował się po niemiecku, kim jestem i skąd. Powiedziałem, że Ungar, stąd, z *Saal sechs*. Na co rzekł, pomagając sobie w tłumaczeniu wskazującym palcem: – *Du: warten hier. Ik: wek. Ein moment zurück. Verstehn?* – Odparłem, że oczywiście *verstehen*. Wyszedł, wrócił – i nagle trzymałem w rękach ćwiartkę chleba i małą, ładną puszkę konserw z już odgiętym wieczkiem, zawierającą nienaruszoną, różową mielonkę. Podniosłem głowę, żeby mu podziękować, ale zobaczyłem już tylko zamykające się za nim drzwi. Kiedy wróciłem do pokoju i próbowałem pogadać z Pietką, a także w paru słowach naszkicować mu tego człowieka, on zaraz wiedział, że to może być *Pfleger* z sąsiedniej *Saal* siedem. Wspomniał też jego nazwisko; zrozumiałem: Bausch, ale jak lepiej pomyśleć, pewnie powiedział Bohusz, jak sądzę. Tak też je zresztą słyszałem później od sąsiada, bo tymczasem w naszym pokoju zmieniali się, wymieniali chorzy. Także na miejsce nade mną, skąd jeszcze pierwszego popołudnia Pietka wyniósł jednego, wkrótce przyniósł nowego, w moim wieku, i jak się później dowiedziałem, takiego jak ja, ale mówiącego po polsku, którego nazwisko Pietka i Zbyszek wymawiają Kuchalski albo Kucharskij, zawsze w ten sposób, akcentując „charski"; niekiedy z nim żartowali i musieli go też drażnić, nabierać, bo często był zły, przynajmniej wskazywały na to szybko terkoczące słowa, rozdrażniony ton grubiejącego już głosu i to, że się wiercił, a wtedy przez szpary w poprzecznych deskach leciały mi na twarz drobiny słomy – ku wielkiemu rozbawieniu, jak mogłem zaobserwować, wszystkich Polaków z pokoju. Obok mnie na łóżku po Węgrze też ktoś się znalazł, chłopak, na początku nie bardzo się orientowałem, kto taki. Dobrze dogadywał się z Pietką, ale moje ucho, które z wolna zaczynało odznaczać się znawstwem, jakby nie całkiem słyszało w nim Polaka. Kiedy odezwałem się do niego po węgiersku, nie odpowiedział, od razu zresztą wydał mi się nieco podejrzany z tymi kiełkującymi już rudymi włosami, piegami rozsypanymi po pełnej, świadczącej o znośnym dobrobycie twarzy i niebieskimi oczami, które zdawały się wszystko szybko oceniać i we wszystkim szybko orientować. Gdy się lokował, urządzał, zauważyłem po wewnętrznej stronie jego przegubu niebieskie znaki: oświęcimski numer, milionowy. Dopiero kiedy pewnego przedpołudnia niespodziewanie otworzyły się drzwi i wszedł Bohusz, żeby, jak to zwykł czynić raz, dwa razy w tygodniu, położyć mi na kołdrze dar składający się z chleba i mięsnej konserwy, i nie pozostawiając mi czasu na podziękowania, skinąwszy tylko głową Pietce, zniknął na korytarzu, dopiero wtedy okazało się, że jednak umie po węgiersku, i to co najmniej tak dobrze jak ja, bo zaraz zapytał: – Kto to był? – Powiedziałem mu, że o ile wiem, *Pfleger* z sąsiedniego pokoju, niejaki Bausch, i wtedy mnie poprawił: – Może Bohusz – bo to, jak twierdził, bardzo częste nazwisko w Czechosłowacji, skąd zresztą i on pochodzi. Zainteresowałem się: dlaczego dotychczas nie umiał po węgiersku? – a on odparł: bo bardzo nie lubi Węgrów. Powiedziałem, że ma rację i że w gruncie rzeczy ja też nie znajduję wiele powodów, żeby ich kochać. Wtedy zaproponował, byśmy rozmawiali po żydowsku, ale musiałem mu wyznać, że nie umiem, więc jednak pozostaliśmy przy węgierskim. Powiedział mi też swoje imię: Luiz lub może Lois, nie całkiem zrozumiałem. Nawet zauważyłem: – Czyli Lajos – ale ostro zaprotestował, ponieważ Lajos to węgierskie imię, a on jest Czechem, i upierał się przy tej różnicy: Lojz. Zapytałem go, skąd zna tyle języków, na co opowiedział, że właściwie pochodzi ze Słowacji, skąd uciekli z rodziną, tłumem dalszych krewnych i znajomych przed „węgierską okupacją", i rzeczywiście przypomniałem sobie pradawny dzień jeszcze w domu, kiedy trwające cały dzień uroczystości ze sztandarami i muzyką informowały o szczęściu, że Słowacja znów jest węgierska. Do obozu koncentracyjnego trafił z pewnej miejscowości o nazwie, jeśli dobrze zrozumiałem, Terezin. Zauważył: - Ty na pewno znasz go jako Theresienstadt. - Powiedziałem, że w ogóle nie znam, ani tak, ani tak, na co bardzo się zdziwił, ale jakoś tak, jak ja zwykłem się dziwić, że ktoś nie słyszał na przykład o komorze celnej na Csepel. Potem uświadomił mnie: - To jest praskie getto. - Jak twierdził, poza Węgrami i Czechami, no i jeszcze Żydami i Niemcami, może się dogadać także ze Słowakami, Polakami, Ukraińcami, a nawet, jeśli trzeba, choćby z Rosjanami. W końcu całkiem się zaprzyjaźniliśmy, opowiedziałem mu, bo był ciekawy, jak poznałem się z Bohuszem, potem moje pierwsze przeżycie, pierwsze wrażenie, myśli pierwszego dnia na temat tego pokoju, które wydały mu się tak interesujące, że nawet przetłumaczył je Pietce, który bardzo się ze mnie śmiał, podobnie jak z moich lęków związanych z węgierskim chorym, bo według Pietki już dawno się tego spodziewali i to zwykły przypadek, że właśnie wtedy nastąpił zgon; wiele rzeczy jeszcze wyjaśnił, krępowało mnie trochę tylko to, że każde zdanie zaczynał od „ten Madziar", czyli „ten Węgier", i przechodził do następnego tematu; ciągle coś mówił, ale jego gadanina jakby uchodziła uwagi Pietki, na szczęście, jak mi się wydawało. Zauważyłem też, ale nic nie myślałem, nie wyciągałem żadnych wniosków, jak uderzająco często i na jak bardzo długo zdarza mu się wychodzić, i dopiero kiedy za którymś razem wrócił do pokoju z chlebem i konserwą, które na pewno pochodziły od Bohusza, byłem trochę zaskoczony – zresztą niemądrze, nie da się ukryć, musiałem to przyznać. Jak opowiedział: on też przypadkowo spotkał się z Bohuszem w umywalni, całkiem tak samo jak ja. Jego też zaczepił tak samo jak mnie, a i dalej poszło tak samo jak ze mną. Była jednak pewna różnica, mianowicie ta, że mogli ze sobą porozmawiać, okazało się, że mają jedną ojczyznę, z czego Bohusz bardzo się ucieszył, i w końcu to całkiem oczywiste – on tak uważał, a ja przyznawałem mu rację, naprawdę. Wszystko to, jak pomyśleć, wydawało mi się całkiem zrozumiałe i jasne, sam zapatrywałem się na to tak samo jak on, jak to przynajmniej wynikało z jego ostatniego, krótkiego zdania: – Nie gniewaj się, że zabrałem ci twojego człowieka – czyli że odtąd to on będzie dostawał to, co dotychczas ja, i że odtąd to ja mogę patrzeć, jak pałaszuje, tak jak dotąd on patrzył. Tym bardziej zdziwiłem się, kiedy ledwie minutę później otworzyły się drzwi, szybko wszedł Bohusz i ruszył prosto do mnie. Odtąd odwiedzał już zawsze nas obu. Przynosił nam to osobne porcje, to tylko jedną – myślę, że na co go było stać – ale w tym ostatnim przypadku nigdy nie zapominając o geście nakazującym braterski podział. W dalszym ciągu zawsze się spieszył, nie tracił czasu na rozmowy, twarz miał jak zawsze człowieka zajętego, niekiedy zatroskaną, czasami niemal gniewną, prawie wściekłą, jak ktoś, na czyich ramionach spoczywa już teraz podwojony ciężar, podwójne pęta, ale nic nie może zrobić, tylko dźwigać to, co już spadło mu na barki, a ja myślałem, że wszystko pewnie dlatego, że on, jak widać, w tym znajdował radość i było mu to w pewnym sensie potrzebne, to była jego metoda, że się tak wyrażę; bo innego powodu, uwzględniając cenę osiągalną za tak rzadki towar i wielki popyt, w żaden sposób nie potrafiłem znaleźć, choćbym nie wiem ile o tym myślał, kombinował, głowił się i zastanawiał. Wtedy też zrozumiałem, przynajmniej z grubsza, jak sądzę, tych ludzi. Bo zbierając w jedno wszystkie moje doświadczenia, montując z nich cały łańcuch, nie miałem wątpliwości: przecież jeśli nawet forma jest inna, ja dobrze to znam, w końcu to tylko ta sama metoda, upór – pewna starannie wypracowana, najskuteczniejsza spośród dotychczas mi znanych, a przede wszystkim, nie da się ukryć, najkorzystniejsza dla mnie forma uporu.

Mogę powiedzieć: z czasem człowiek przyzwyczaja się nawet do cudów. Z wolna zacząłem sam chodzić do pokoju zabiegowego – jeśli oczywiście tak rano zarządził lekarz – na bosaka, w koszuli, otulony kocem, i w ostrym powietrzu wśród wielu znajomych zapachów odkryłem też nowy: budzącej się wiosny, z całą pewnością, kiedy wziąłem pod uwagę mijający czas. W drodze powrotnej na moment wpadło mi w oczy, jak z szarego baraku za naszymi drutami kilku ludzi w pasiakach wyciągało, taszczyło akurat większy wóz na oponach, z tych, co to się je przyczepia do ciężarówek; wystawało z niego kilka zmarzniętych kończyn, wysuszonych części ciała. Szczelniej otuliłem się kocem, żeby mnie przypadkiem nie dopadło jakieś przeziębienie, i postarałem się jak najszybciej pokusztykać do ciepłego pokoju, dla porządku przetrzeć jakoś nogi i szybko skryć się pod kołdrę, umościć w łóżku. Tu gadałem sobie z sąsiadem, dopóki jeszcze był (bo z czasem odszedł *nach Hause*, a jego miejsce zajął starszy Polak), oglądałem, co było do oglądania, słuchałem rozbrzmiewających z głośnika rozkazów i mogę powiedzieć: tylko dzięki nim, no i jeszcze pewnej sile wyobraźni, mogłem stąd, z łóżka, zdobyć, śledzić, niemal wyczarować sobie każdy kolor, smak, zapach, krzątaninę, każdy ruch, większe i mniejsze wydarzenia obozu, od bladego świtu aż po późny sygnał zakończenia dnia, a nawet niekiedy jeszcze po nim. I tak *Friseure zum Bad, Friseure zum Bad* rozbrzmiewa wiele razy dziennie, coraz częściej, i sprawa jest jasna: przybył nowy transport. Do tego przyłącza się za każdym razem *Leichenkommando zum Tor*, czyli tragarze trupów do bramy, a jeśli jeszcze życzą sobie uzupełnienia, można z tego wywnioskować skład i jakość transportu. Dowiedziałem się, że wtedy mają też spieszyć do swoich szatni pracownicy *Effekten*, czyli magazynu, i to czasami *im Laufschritt*, czyli biegiem. Jeśli natomiast żądają dwóch lub czterech leichenträgerów, powiedzmy, *mit einem* lub *zwei Tragbetten sofort zum Tor!* – możesz być pewny, że tym razem zdarzył się gdzieś wypadek, przy pracy, podczas przesłuchania, w piwnicy, na strychu, kto wie gdzie. Doszła mnie informacja, że komando „kartoffelschalerów”, czyli kartoflarzy, ma nie tylko dzienną zmianę, ale także *Nachtschicht*, i wiele innych również. Ale każdego popołudnia, zawsze dokładnie o tej samej godzinie, rozlega się tajemnicza wiadomość: *Ela zwo, Ela zwo, aufmarschieren lassen!* – i z początku długo łamałem sobie nad tym głowę. A było to proste, ale upłynął jakiś czas, zanim odgadłem z zapadającej zawsze potem uroczystej, nieskończonej kościelnej ciszy, z komendy *Mützen ab*, *Mützen auf!*, z dobiegającej jakoś cieniutko, piskliwie muzyki, że *aufmaschieren lassen* oznacza zbiórkę, *zwo* dwa, a *ela* prawdopodobnie LÄ, czyli *Lagerältester*, i że zgodnie z tym w Buchenwaldzie działa pierwszy i drugi *Lagerältester*, czyli jest ich dwóch – i to w gruncie rzeczy wcale nie taki wielki dziw, jeśli się zastanowić, w końcu w takim obozie, gdzie, jak się dowiaduję, dawno już wydano dziewięćdziesięciotysięczny numer. Potem z wolna cichnie także nasz pokój, Zbyszek też już poszedł, jeśli była kolej na jego odwiedziny, a Pietka obrzuca jeszcze wszystko ostatnim spojrzeniem, zanim ze zwyczajowym „dobranoc" zgasi światło. Wtedy szukam największej wygody, na jaką pozwalają mi moje rany i łóżko, naciągam kołdrę na uszy i już przychodzi beztroski sen: nie, niczego więcej nie mogę sobie życzyć, nic więcej w obozie koncentracyjnym, rozumiałem, nie osiągnę.

Niepokoiły mnie tylko trochę dwie rzeczy. Pierwsza: moje dwie rany, nie dało się zaprzeczyć, że istniały, skóra wokół nich była jeszcze zaogniona, a mięso żywe, ale na samych obrzeżach tworzy się już cienka błona, a tu i ówdzie brązowe strupki; lekarz nie upycha już dokoła gazy, prawie nie wzywa mnie na zabiegi, a jeśli jednak, to kończymy niepokojąco szybko, jego twarz zaś jest niepokojąco zadowolona. Druga rzecz to, nawiasem mówiąc, bardzo radosne wydarzenie, niewątpliwie, nie przeczę. Kiedy na przykład Pietka i Zbyszek przerywają nagle wymianę poglądów i, zasłuchani w coś dalekiego, podniesionym palcem proszą nas jednocześnie o ciszę, moje ucho też chwyta głuchy grzmot, niekiedy przerywane dźwięki podobne do dalekiego szczekania psów. Także tam, gdzie za ścianą znajduje się przypuszczalnie pokój Bohusza, panuje ostatnio wielkie ożywienie, jak słyszę z przesączających się odgłosów ciągnącej się jeszcze długo po zgaszeniu światła rozmowy. Wielokrotny głos syren to już teraz zwykły element dnia, normalna rzecz, gdy nocą budzi rozkaz z głośnika: *Krematorium, ausma-chen!*, a w minutę później, ale teraz już zgrzytając ze złości: Khematohium! Sofoht ausmachn!, z czego ro-zumiałem: za nic by sobie nie życzyli, aby niestosowny blask ognia ściągnął im na głowę samoloty. Fryzjerzy już nie wiem, kiedy śpią, dowiedziałem się, że przed łaźnią nowo przybyli mogą obecnie przestać nago na-wet dwa, trzy dni, zanim wejdą dalej, a i *Leichenkom-mando*, jak słyszę, jest w wirze pracy. W naszym pokoju także nie ma już wolnych łóżek i wśród zwykłych wrzo-dów i ran ciętych po raz pierwszy usłyszałem ostatnio od chłopaka zajmującego jedno z łóżek po przeciwnej stronie o ranie od kuli karabinowej. Zdobył ją podczas wielodniowego marszu z jakiegoś prowincjonalnego obozu o nazwie, jeśli dobrze zrozumiałem, Ohrdruf, mniej więcej dokładnie przypominającego Zeitz; szli, jak wynikało z jego opowiadania, wciąż omijając nie-przyjaciela – amerykańską armię, i kula przeznaczona była właściwie dla sąsiada, który się zmęczył i prze-wrócił, ale przy okazji on też dostał w nogę. Miał szczęście, że nie naruszyła kości, dodał, a ja po-myślałem: no, mnie na przykład coś podobnego nie mogłoby spotkać. W jakiekolwiek miejsce na mojej no-dze by trafiła, wszędzie napotkałaby tylko kość, z całą pewnością, nic dodać, nic ująć. Wkrótce okazało się też, że jest w obozie dopiero od jesieni, ma numer osiemdziesiąt parę tysięcy – niezbyt wytworny tu, w na-szym pokoju. Jednym słowem, ze wszystkich stron docierają do mnie ostatnio słuchy o nadchodzących zmianach, niewygodach, niepokoju, zamieszaniu, troskach i kłopotach. A to znów Pietka obchodzi łóżka z jakimś arkuszem w ręce i pyta wszystkich, mnie też: czy mogę iść, chodzić, *laufen*. Mówię mu: – Nie, nie, nie ja, *ich kann nicht.* – Tak, tak – odpowiada – *du kannst* – i zapisuje moje nazwisko, tak samo jak wszystkich innych w pokoju, nawet Kucharskiego, na którego obydwu spuchniętych nogach są tysiące równoległych nacięć, podobnych do otwartych ust, co widziałem kiedyś w ambulatorium. A następnego wieczoru, akurat kiedy skończyłem żuć chleb, słyszę z radia: *Alle Juden im Lager* – wszyscy Żydzi w obozie – *sofort* – natychmiast – *antreten* – zbiórka, ale tak groźnym tonem, że od razu usiadłem w łóżku. – Co ty robisz? – zainteresował się Pietka z ciekawą miną. Wskazałem na głośnik, ale on się tylko uśmiechnął i obiema rękami pokazał: z powrotem, tylko spokojnie, na co te nerwy, na co ten pośpiech? Ale głośnik przez cały wieczór odzywa się, trzeszczy, mówi: – *Lagerschutz* – słyszę, czyli że wzywa do natychmiastowej pracy uzbrojonych w maczugi funkcyjnych komanda nadzoru obozowego i chyba z nich też nie jest całkowicie zadowolony, jak widać, bo wkrótce, i kiedy tego słuchałem, ciarki chodziły mi po plecach, wzywa do bramy – *aber im Laufschritt!* – lagerältestera i kapo Lagerschutzu: to jest dwóch największych spośród wszystkich władców obozu. Potem głośnik staje się samym pytaniem, samym wyrzutem: – *Lagerältester! Aufmarschieren lassen! Lagerältester! Wo sind die Juden?!* – wciąż dopytuje się, wzywa, chrzęści, trzeszczy, a Pietka tylko gniewnie macha ręką albo mówi: – Kurwa jego mać! – A więc zdaję się na niego, w końcu on wie, i nadal spokojnie leżę. Ale jeśli poprzedniego wieczoru wydawało się inaczej, widocznie następnego już nie ma wyjątków: – *Lagerältester! Das ganze Lager: antreten!* – i niebawem warkot motorów, szczekanie psów, wystrzały karabinów, odgłosy razów, postukiwanie biegnących nóg, a w ślad za nimi cięższy tupot butów z cholewami wskazują, że w końcu, jeśli to komuś bardziej odpowiada, żołnierze też potrafią wziąć sprawę w swoje ręce i jakie są owoce takiego nieposłuszeństwa, aż wreszcie zapada nagle cisza. Wkrótce wpada lekarz, całkiem nieoczekiwanie, bo przecież, jakby nic się na zewnątrz nie działo, był tu, jak zwykle, rano. Teraz jednak nie jest taki chłodny, nie taki zadbany jak kiedy indziej: twarz ma zmiętą, nie całkiem nienaganny fartuch szpecą rdzawe plamy, badawczo wodzi dokoła ciężkim spojrzeniem przekrwionych oczu; widocznie szuka wolnego łóżka, nie ma wątpliwości. – *Wo ist der* – mówi do Pietki – *der, mit dieser kleinen Wunde hier?!* – pokazując niepewnym ruchem swoje biodro i udo, podczas gdy jego badawcze spojrzenie zatrzymuje się kolejno na każdej twarzy, a więc także na mojej, i mocno wątpię, żeby mnie nie poznał, ale on zaraz odwraca wzrok, żeby utkwić go znowu w Pietce, czekając, nagląc, żądając, jakby narzucał mu obowiązek odpowiedzi. Nic nie mówię, ale już szykuję się w duchu, żeby wstać, włożyć kurtkę i wyjść, gdzieś w sam środek chaosu; wtedy jednak, widzę z wielkim zdziwieniem, że Pietka – jak przynajmniej wskazuje na to jego mina – nie ma pojęcia, kogo też mógł mieć na myśli lekarz, potem, po krótkiej chwili bezradności, w błyskawicznym olśnieniu, jakby sobie nagle uprzytomnił, ze słowami *Ach... ja* i gestem wyciągniętej ręki wskazuje na chłopaka z postrzałem, z czym lekarz wydaje się natychmiast zgadzać, jakby i on doznał olśnienia, jakby ktoś właśnie odgadł i wreszcie rozwiązał jego problem, naprawdę. – *Der geht sofort nach Hause!* – rozkazuje natychmiast. I wtedy rozgrywa się bardzo dziwna, niezwykła, powiedziałbym, niestosowna scena, niepodobna do niczego, co widziałem dotychczas w naszym pokoju, nie mogłem na to patrzeć bez jakiegoś skrępowania, omalże nie czerwieniąc się ze wstydu. Mianowicie chłopak z postrzałem, kiedy wstał z łóżka, najpierw tylko złożył przed lekarzem ręce, jakby zamierzał się modlić, a gdy tamten cofnął się zaskoczony, nie wiedząc w pierwszej chwili, o co chodzi, padł przed nim na kolana, sięgając, chwytając i obejmując jego nogi obydwiema rękami; potem zauważyłem tylko szybki błysk ręki lekarza, następujący po nim odgłos wymierzonego policzka i zrozumiałem tylko jego wzburzenie, ale nie słowa, zanim odsuwając kolanem przeszkodę, wypadł z pokoju z gniewną i bardziej czerwoną niż zwykle twarzą. Do opróżnionego łóżka przyszedł nowy chory, znów chłopak – dobrze znany mi sztywny opatrunek świadczy o tym, że na końcu stopy brak mu już wszystkich palców – a kiedy

Pietka przy najbliższej okazji znalazł się w moim pobliżu, powiedziałem mu cicho, poufnie: - Dziękuję, Pietka... - Ale z jego pytania: - *Was?*... - z jego twarzy odpowiadającej kompletnym niezrozumieniem, idealnym brakiem orientacji na moje: - *Aber früher, vorher...* - czyli „ależ wcześniej, przedtem...", ze zdziwionego, świadczącego o niewiedzy potrząśnięcia głową zrozumiałem, że tym razem ja musiałem widocznie popełnić jakiś nietakt i że pewne sprawy możemy załatwiać sami z sobą, jak widać. Ale wszystko przecież odbyło się zgodnie z zasadami sprawiedliwości, w każdym razie ja byłem tego zdania, w końcu dłużej leżałem w pokoju, on zaś miał więcej sił, a więc nie ulegało wątpliwości, przynajmniej dla mnie, że na zewnątrz to on ma większe szanse; no i w końcu łatwiej mi, jak widać, pogodzić się z cudzym nieszczęściem niż z własnym: jakkolwiek na to patrzyłem, rozważałem, zastanawiałem się, nasuwał mi się taki wniosek, płynęła z tego taka nauka. Zwłaszcza jednak: co znaczy takie zmartwienie, kiedy strzelają? - bo dwa dni później już u nas brzęknęła szyba i jakaś zbłąkana kula utkwiła w przeciwległej ścianie. Ten dzień miał jeszcze jedno wydarzenie: do Pietki bezustannie wpadali na słówko podejrzani ludzie i on też często, niekiedy przez dłuższy czas, był nieobecny, aby wieczorem zjawić się znów w pokoju z podłużnym, starannie owiniętym pakunkiem pod pachą. Uznałem to za prześcieradło - ale nie, bo miało też trzonek, a więc raczej biała flaga, a z jej środka wyłonił się początek i koniec dobrze owiniętej rzeczy, jakiej nigdy jeszcze nie widziałem w rękach więźnia, czegoś, na co cały pokój poruszył się, syknął, wrzasnął, przedmiotu, który Pietka – zanim go jeszcze umieścił pod łóżkiem – pokazał wszystkim, pozwolił im patrzeć przez jedną krótką chwilę, przyciskając go do piersi takim ruchem, że i ja czułem się niemal pod choinką, w posiadaniu z dawna oczekiwanego, wspaniałego prezentu. Brązowa drewniana część i wystająca z niej krótka, niebiesko połyskująca stalowa rura – karabin o spiłowanej lufie, taki, o jakich czytałem w zamierzchłych czasach w moich ulubionych powieściach o złodziejach i detektywach.

Następny dzień zapowiadał się również ruchliwie – ale kto zdołałby zarejestrować każdy kolejny dzień i wszystkie wydarzenia. Na wszelki wypadek powiem: kuchnia przez cały czas działała prawidłowo, lekarz także był przeważnie punktualny. Pewnego ranka, niedługo po kawie, pospieszne kroki na korytarzu, gromki okrzyk, jakby hasło, na które Pietka szybko wygrzebuje z kryjówki i bierze pod pachę swoją paczkę, potem znika. Wkrótce, gdzieś tak koło dziewiątej słyszę pierwszy raz głośnik, tym razem rozkaz przeznaczony jest nie dla więźniów, lecz żołnierzy: – *An alle SS-Angehörigen* – i aż dwukrotnie: – *Das Lager ist sofort zu verlassen* – wzywa ich do natychmiastowego opuszczenia obozu. Później słyszałem zbliżające się

238

i oddalające, przez pewien czas jakby tuż nad moją głową, potem stopniowo cichnące odgłosy bitwy, wreszcie nastała cisza, nawet zbyt wielka cisza, bo daremnie czekałem, nasłuchiwałem i czatowałem, ani w normalnym czasie, ani później w żaden sposób nie udawało mi się pochwycić, chociaż było już dawno po czasie, brzęku i łączących się z nim okrzyków ludzi roznoszących zupę. Było chyba koło czwartej, kiedy nareszcie coś stuknęło w aparacie, potem po krótkim skwierczeniu i odgłosach dmuchania zostaliśmy poinformowani, że tu *Lagerältester*, mówi *Lagerältester*. – *Kameraden* – powiedział, starając się zwalczyć jakieś dławiące go uczucie, od którego jego głos to załamywał się, to znów stawał zbyt ostry, niemal świszczący – *wir sind frei!* – czyli jesteśmy wolni, i pomyślałem, że w takim razie *Lagerältester* musiał dzielić poglądy Pietki, Bohusza, lekarza i im podobnych, musiał należeć do tej samej szajki, że tak powiem, skoro to on mógł nam zakomunikować, i to z tak oczywistą radością, ten fakt. Potem wygłosił krótkie, ładne przemówienie, a po nim mówili inni, w najróżniejszych językach: – *Attention, attention!* – usłyszałem na przykład po francusku – *Pozor, pozor!* – jak wiem, po czesku – *Wnimanije, wnimanije, ruski towariszczi, wnimanije!* – i ta śpiewna mowa wywołała nagle miłe wspomnienie języka, w którym swojego czasu, w dniu mojego przyjazdu, mówili wokół mnie ludzie z komanda pracującego w łaźni; – Uwaga, uwaga! – na co tuż obok mnie usiadł w łóżku straszliwie podniecony polski chory: – Cicho bądź! Teraz polski komunikat! – i wtedy sobie przypomniałem, jak się denerwował, mościł, wiercił przez cały dzień; później ku memu wielkiemu zdziwieniu nagle: – Uwaga, uwaga! Węgierski komitet obozowy... – a ja pomyślałem: no proszę, nawet nie przypuszczałem, że taki jest. Ale daremnie słuchałem, od niego też, jak od wszystkich przed nim, mogłem usłyszeć tylko o wolności i żadnej aluzji, ani jednego słowa o zaległej zupie. Ja też się straszliwie cieszyłem, że jesteśmy wolni, ale nic nie mogłem poradzić, że byłem też zmuszony pomyśleć: wczoraj coś takiego jeszcze nie mogłoby się zdarzyć. Za oknem był już ciemny kwietniowy wieczór, Pietka też wrócił, zaczerwieniony, rozpalony, z tysiącami niezrozumiałych słów, kiedy z głośnika znów odezwał się *Lagerältester*. Tym razem zwracał się do ludzi z byłego komanda kartoflarzy, prosząc ich, by byli łaskawi zająć dawne miejsca w kuchni, wszystkich innych mieszkańców obozu zaś poprosił, by zaczekali ze spaniem choćby i do połowy nocy, bo zaraz będzie się dla nich gotować zupa gulaszowa; dopiero wtedy z ulgą opadłem z powrotem na poduszkę i dopiero wtedy sam pomyślałem – może po raz pierwszy poważnie – o wolności.

9

Do domu wróciłem mniej więcej w tej samej porze, w jakiej wyszedłem. W każdym razie dokoła las był już od dawna zielony, wielkie doły z trupami też porosła trawa, a asfalt zaniedbanego od nastania nowych czasów appellplatzu, z wystygłymi ogniskami, zasypany różnymi szmatami, papierami, puszkami po konserwach, także topił się już w letnim skwarze, kiedy w Buchenwaldzie zapytano mnie, czy miałbym ochotę zdecydować się na podróż. Pojechaliby przeważnie młodzi, a wyprawą pokierowałby krępy, siwiejący człowiek w okularach, funkcyjny z węgierskiego komitetu obozowego, który załatwiałby sprawy związane z drogą. Teraz jest ciężarówka, no i amerykańscy żołnierze gotowi są podwieźć nas kawałek na wschód: reszta należy do nas, powiedział i zaproponował, żeby go nazywać panem Miklósem. – Musimy – dodał – żyć dalej – no i istotnie, nic innego w końcu nie możemy zrobić, skoro już mamy taką okazję. Z grubsza można było powiedzieć, że jestem zdrów, pomijając pewne dziwne rzeczy, jakieś drobne kłopoty. Na przykład kiedy naciskałem palcem jakikolwiek punkt mojego ciała, jeszcze długo widać było ślad, wklęśnięcie, jakbym wsadził palce w jakąś martwą, niesprężystą substancję, powiedzmy, w ser czy wosk. Zdziwiła mnie też trochę moja twarz, kiedy po raz pierwszy zobaczyłem ją w wyposażonym nawet w lustro pokoju mieszkalnym byłego szpitala esesmanów, ponieważ z dawnych czasów zapamiętałem ją całkiem inną. Ta, na którą patrzyłem teraz, miała pod odrośniętymi na parę centymetrów włosami uderzająco niskie czoło, przy dziwnie rozszerzających się uszach dwie nowiutkie, niekształtne puchliny, gdzie indziej miękkie worki, a wszędzie widniały zmarszczki, bruzdy, słowem, rysy charakterystyczne dla ludzi zasłużonych w różnego rodzaju rozpuście i rozkoszach, którzy – przynajmniej według świadectwa mojej dawnej lektury – właśnie z ich powodu wcześnie się zestarzeli; zachowałem w pamięci także inny, przyjaźniejszy, powiedziałbym, bardziej budzący zaufanie wyraz oczu, które mi zmalały. No i jeszcze utykałem, trochę pociągałem lewą nogą.

– To nic – powiedział pan Miklós – domowe powietrze cię uzdrowi. W domu – oznajmił – zbudujemy nową ojczyznę – i na początek nauczył nas od razu kilku piosenek. Kiedy szliśmy piechotą przez miasteczka i wsie, co nam się niekiedy zdarzało w tej drodze, śpiewaliśmy je, po wojskowemu uformowani w trójki. Polubiłem zwłaszcza tę, która zaczynała się od słów: „Na granicy Madrytu stoimy na warcie" – sam nie potrafiłbym powiedzieć dlaczego. Z innego powodu, ale równie chętnie śpiewałem także inną, zwłaszcza dla tego fragmentu: „Ca-ały dzień już ha-ru-je-my, / ledwie z gło-odu nie zdech-nie-my, / lecz zha-aro-owana dłoń

/ ści-iska już broń!" Znów za co innego lubiłem także tę, w której był taki wers: „Mło-da gwar-dia pro-le-ta-ria- -tu to my!", po czym należało zwyczajnym głosem wykrzyknąć: „Czerwony front!", ponieważ wtedy za każdym razem mogłem usłyszeć brzęczenie zamyka- nych okien czy trzaskanie drzwi, za każdym razem mogłem dostrzec pospiesznie wbiegających do bram lub pospiesznie za nimi znikających ludzi, Niemców.

Nawiasem mówiąc, wybrałem się w drogę z lekkim bagażem: amerykańskim workiem wojskowym z gra- natowego płótna, który był trochę niewygodny, zbyt wąski, za to stanowczo za długi. W nim dwa grube koce, zmiana bielizny, szary porządny sweter ozdobiony zielonymi lamówkami przy szyi i mankietach z po- rzuconego magazynu esesmanów, no i coś na drogę: konserwy i inne jedzenie. Miałem na sobie zielone wełniane spodnie armii amerykańskiej, sprawiające wrażenie mocnych sznurowane buty na gumowych podeszwach, spinacze ze skóry nie do zdarcia, ze sto- sownymi paskami i sprzączkami. Na głowę znalazłem sobie dziwną w kształcie i w każdym razie nieco za ciężką na tę porę roku czapkę, którą zdobił stromy daszek, a denko miało kształt ustawionego skośnie kwadratu, czyli według geometrycznej nazwy – przy- pomniałem sobie z zamierzchłych szkolnych czasów – rombu; dawniej, jak mówiono, nosił ją pewien polski oficer. Kurtkę też pewnie znalazłbym lepszą w magazynie, ale w końcu zadowoliłem się, nawet ją sobie wybrałem i uparłem się przy pozbawionej wprawdzie trójkąta i numeru, ale poza tym niezmienionej, dobrze znoszonej, zwyczajnej, starej pasiastej szmacie; tak przynajmniej nie będzie nieporozumień, sądziłem, no i uznałem ją za bardzo przyjemny, celowy, przewiewny strój, przynajmniej teraz, latem. Drogę pokonywaliśmy samochodami, wozami, piechotą, środkami komunikacji publicznej, zależnie od tego, czym mogły nam służyć rozmaite wojska. Sypialiśmy w furmankach ciągniętych przez woły, na ławkach i katedrach opuszczonych klas lub tylko tak, pod rozgwieżdżonym letnim niebem, na klombach, miękkiej trawie parku wśród domków jak z piernika. Nawet płynęliśmy statkiem po niewielkiej – przynajmniej dla oczu przywykłych do Dunaju – rzece, która nazywała się Łaba, byłem też w takim miejscu, zapewne dawniejszym mieście, które teraz składało się tylko ze zwałów kamieni i sterczących tu i ówdzie czarnych, pustych ścian. U podnóża tych ścian, złomowisk i resztek mostów mieszkali teraz i umierali tutejsi ludzie; próbowałem się cieszyć, oczywiście, tyle że to właśnie oni mi w tym przeszkadzali. Jechałem czerwonym tramwajem i podróżowałem prawdziwym pociągiem, którego lokomotywa ciągnęła prawdziwe wagony, a w nich prawdziwe, przeznaczone dla ludzi przedziały, choć dla mnie znalazło się miejsce tylko na dachu. Wysiadłem w pewnym mieście, gdzie poza czeskim słyszało się już często węgierski, i kiedy czekaliśmy na wieczorne połączenie, koło stacji gromadzili się wokół nas mężczyźni, kobiety, starcy, rozmaici ludzie. Interesowali się, czy wracamy z obozu koncentracyjnego, i wielu z nas wypytywali, mnie też, czy nie spotkałem tam przypadkiem ich krewnego, człowieka o takim to a takim nazwisku. Powiedziałem im, że w obozach koncentracyjnych ludzie na ogół nie miewają nazwisk. Wtedy starali się opisać jego wygląd, twarz, kolor włosów, charakterystyczne cechy, a ja próbowałem im wytłumaczyć: szkoda fatygi, przecież ludzie przeważnie bardzo się zmieniają w obozach. Na co powolutku ludzie zaczęli się rozchodzić, z wyjątkiem jednego – ten, bardzo wyletniony, nosił tylko koszulę i spodnie, a pomiędzy nie wetknął po obu stronach za spodnie tuż przy szelkach dwa kciuki, podczas gdy pozostałe palce bębniły, postukiwały w tkaninę. Chciał wiedzieć, co mnie trochę rozbawiło, czy widziałem komory gazowe. Powiedziałem mu: – Nie rozmawialibyśmy teraz. – No tak – odparł – ale czy naprawdę były komory gazowe? – a ja mu na to: – Jakżeby nie, są i komory gazowe, oczywiście. Wszystko zależy od tego – dodałem – co w jakim obozie być powinno. Na przykład w Oświęcimiu mogliśmy na nie liczyć. Ja natomiast – zaznaczyłem – wracam z Buchenwaldu. – Skąd? – zapytał i musiałem powtórzyć: –

Z Buchenwaldu. – Zatem z Buchenwaldu – pokiwał głową, a ja powiedziałem: – Właśnie. – Na co rzekł: – Chwileczkę – ze sztywną, surową, niemal strofującą miną. – Zatem pan – i sam nie wiem dlaczego, ale niemal mnie wzruszyło to bardzo poważne, powiedziałbym, ceremonialnie brzmiące odezwanie – słyszał o komorach gazowych – a ja odparłem: – Jasne. – Mimo że pan – ciągnął wciąż z tą samą sztywną twarzą, jakby tworzącą ład, światłość między rzeczami – osobiście nigdy ich na własne oczy nie widział – a ja musiałem przyznać: – Nie. – Na co zrobił uwagę: – Więc tak – potem skinąwszy mi krótko głową, poszedł dalej, sztywny, wyprostowany i jak mi się wydawało, także zadowolony, jeśli się nie myliłem. Wkrótce potem zawołano: biegiem, jest pociąg, i udało mi się znaleźć całkiem znośne miejsce na szerokim drewnianym stopniu wejścia do wagonu. Nad ranem obudziło mnie wesołe posapywanie pociągu. Potem zaś zwróciłem uwagę, że już wszędzie czytam węgierskie nazwy miejscowości. – To lustro wody – pokazywano – które nas stamtąd oślepia, to już Dunaj, ta ziemia dookoła – mówiono – która płonęła, drżała od blasku wczesnego słońca, jest już węgierska. – Po jakimś czasie wjechaliśmy do hali o zniszczonym dachu, na której końcu widniały okna bez szyb: – Dworzec Nyugati – mówiono wokół mnie, i to był naprawdę on, z grubsza go poznawałem.

Na zewnątrz przed budynkiem słońce padało prosto na chodnik. Był wielki upał, zgiełk, kurz i ruch. Tramwaje były żółte, na nich numer sześć: a więc i to się nie zmieniło. Trafiali się też handlarze, którzy sprzedawali dziwne ciastka, gazety i inne rzeczy. Ludzie byli bardzo piękni i najwyraźniej wszyscy mieli jakieś sprawy, ważne zajęcia, wszyscy się spieszyli, gdzieś biegli, rozpychając się na wszystkie strony. My też, dowiedziałem się, musimy natychmiast dotrzeć do punktu pomocy, tam na gorąco podać personalia, aby otrzymać przede wszystkim pieniądze i dokumenty – nieodzowne już akcesoria życia. To miejsce, dowiedziałem się, znajduje się w okolicy drugiego dworca: Keleti, i zaraz na pierwszym rogu wsiedliśmy do tramwaju. Choć ulice wydały mi się zrujnowane, rzędy domów tu i ówdzie wyszczerbione, a te, które przetrwały, zniszczone, uszkodzone, z dziurami, bez okien, jednak mniej więcej poznawałem drogę, także ten plac, gdzie po pewnym czasie wysiedliśmy. Punkt pomocy znaleźliśmy akurat naprzeciwko kina, które jeszcze miałem w pamięci, w dużym, szarym, brzydkim budynku komunalnym; podwórze, hol, korytarze były już pełne ludzi. Siedzieli, stali, kręcili się, hałasowali, gadali lub milczeli. Wielu miało na sobie pozbieraną tu i ówdzie odzież, wybrakowane ubrania i czapki z magazynów obozowych i wojskowych, niektórzy byli w pasiastych kurtkach jak ja, ale już w burżujskich białych koszulach i krawatach, ze splecionymi z tyłu rękami, znów rozmyślając o ważnych sprawach, pełni godności, tak samo jak przedtem jechali do Oświęcimia. W jednym miejscu omawiali, porównywali obozowe warunki, gdzie indziej analizowali ewentualne sumy zasiłku, jeszcze inni twierdzili, że nie obejdzie się bez komplikacji, mówili też o bezprawnych przywilejach, korzyściach dla innych ze szkodą dla nich, niesprawiedliwościach, ale w jednej sprawie zgadzali się wszyscy: trzeba czekać, i to na pewno długo. Tylko że mnie to bardzo nudziło, więc biorąc na ramię mój worek, wyspacerowałem na podwórze, a stamtąd przed bramę. Znów widziałem kino i przyszło mi na myśl, że gdybym poszedł w prawo może jedną, ale najwyżej dwie przecznice, drogę – jeśli pamięć mnie nie zawodzi – przecięłaby mi ulica Nefelejcs.

Łatwo znalazłem dom; był i nie różnił się niczym od innych, szarych bądź żółtych, nieco walących się budynków na tej ulicy, jak mi się przynajmniej wydawało. W chłodnej bramie dowiedziałem się ze starej listy lokatorów z oślimi uszami, że numer też się zgadza i muszę wejść aż na drugie piętro. Powolutku wspinałem się na górę po schodach o zjełczałym, trochę kwaśnawym zapachu, widziałem przez okno galeryjki, a na dole żałośnie czyste podwórze: pośrodku trochę trawy, no i obowiązkowe smutne drzewko z wątłym, zakurzonym listowiem. Naprzeciwko wychodziła właśnie żwawo kobieta z owiązaną głową, ze ścierką do kurzu, skądś dobiegła mnie muzyka z radia, gdzieś ryczało dziecko, ale potwornie. Kiedy potem otworzyły się przede mną drzwi, zdziwiłem się bardzo, ponieważ po tak długim czasie znów ujrzałem przed sobą małe, skośne oczka Bandiego Citroma, tyle że tym razem w twarzy jeszcze dość młodej kobiety, czarno-włosej, nieco przysadzistej i niezbyt wysokiej. Cofnęła się trochę, na pewno, sądziłem, na widok mojej kurtki, i żeby nie przyszło jej do głowy zamknąć mi drzwi przed nosem, od razu zapytałem: - Czy Bandi Citrom jest w domu? - Odparła: - Nie ma. - Zapytałem, czy tylko teraz, w obecnej chwili, na co powiedziała, potrząsając lekko głową i zamykając oczy: - W ogóle - a kiedy je znów otworzyła, dostrzegłem, że jej dolne rzęsy lśnią teraz odrobinę wilgocią. Trochę też drgnęły jej wargi i wtedy doszedłem do wniosku, że trzeba się stąd jak najszybciej wynosić, ale z mroku korytarza wyszła nagle chuda, ciemno ubrana starsza kobieta w chustce na głowie i przedtem jej również musiałem się wytłumaczyć: - Szukałem Bandiego Citroma - i ona też powiedziała: - Nie ma go w domu - zaproponowała jednak: - Proszę wpaść kiedy indziej. Może za parę dni - i zauważyłem, że młodsza kobieta jakimś dziwnym, jakby uchylającym się, a jednocześnie jakoś bezsilnym ruchem odwróciła głowę i podniosła do ust wierzchnią stronę dłoni, w taki sposób, jakby chciała stłumić, zdusić w sobie jakieś wyrywające się słowo. Potem musiałem jeszcze powiedzieć starej kobiecie: - Byliśmy razem - i wytłumaczyć: - W Zeitz - a na surowe, niemal rozliczające pytanie: – A dlaczego nie wróciliście razem? – usprawiedliwiać się: – Rozdzieliliśmy się. Ja potem byłem gdzie indziej. – Chciała też wiedzieć: – Są tam jeszcze Węgrzy? – a ja odpowiedziałem: – Pewnie, dużo – na co z jakimś widocznym tryumfem zwróciła się do młodej kobiety: – Widzisz! – i do mnie: – Zawsze mówię, że dopiero teraz zaczynają wracać. Ale moja córka jest niecierpliwa, ona już nie chce wierzyć – i już miałem na końcu języka, ale potem jednak zmilczałem, że według mnie ona jest rozsądniejsza, ona lepiej zna Bandiego Citroma. Potem zaprosiła mnie, żebym wszedł dalej, ale odparłem, że najpierw muszę iść do domu. – Na pewno czekają rodzice – rzekła, a ja odpowiedziałem: – Pewnie. – A więc – odezwała się jeszcze – proszę się pospieszyć, niech się cieszą – i potem odszedłem.

Dochodząc do dworca, ponieważ noga zaczynała już porządnie dawać mi się we znaki, a także dlatego, że właśnie zatrzymał się przede mną jeden ze znanych mi z dawna numerów, wsiadłem do tramwaju. Na otwartym pomoście stała nieco z boku chuda, stara kobieta w dziwacznym, staromodnym koronkowym kołnierzu. Wkrótce przyszedł jakiś człowiek, w czapce, w mundurze, i poprosił o bilet. Powiedziałem mu: – Nie mam. – Zaproponował, żebym kupił. Rzekłem: – Nie mam pieniędzy. – Wtedy przyjrzał się mojej kurtce, mnie, potem również starej kobiecie, i poinformował mnie, że jazda tramwajem ma swoje prawa i te prawa wymyślił nie on, lecz ci, którzy stoją nad nim. – Jeśli pan nie wykupi biletu, musi pan wysiąść – orzekł. Powiedziałem mu: – Ale przecież boli mnie noga – i wtedy zauważyłem, że stara kobieta odwróciła się i patrzyła na ulicę z obrażoną miną, jakbym miał do niej pretensje, nie wiadomo dlaczego. Ale przez otwarte drzwi wagonu wpadł, czyniąc już z daleka wielki hałas, postawny, czarnowłosy, rozczochrany mężczyzna. Nosił rozpiętą koszulę i jasny płócienny garnitur, na ramieniu zawieszone na pasku czarne pudełko i teczkę w ręku. – Co tu się dzieje? – wykrzyknął i zarządził: – Niech mu pan da bilet – wyciągając, raczej wpychając konduktorowi pieniądze. Próbowałem podziękować, ale mi przerwał, rozglądając się ze złością dookoła: – Raczej niektórzy powinni się wstydzić – oznajmił, ale konduktor był już w środku, a stara kobieta nadal patrzyła na ulicę. Wtedy ze złagodniałą twarzą zwrócił się do mnie. Zapytał: – Wracasz z Niemiec, synu? – Tak. – Z obozu? – Oczywiście. – Z którego? – Z Buchenwaldu. – Tak, już o nim słyszał, wie, to także „było dno nazistowskiego piekła", powiedział. – Skąd cię wywieźli? – Z Budapesztu. – Jak długo tam byłeś? – Rok, cały rok. – Musiałeś dużo widzieć, synku, dużo okropieństw – rzekł, a ja nic nie odpowiedziałem. – No, ale – ciągnął – najważniejsze, że to już koniec, minęło – i wskazując z pojaśniałą twarzą domy, obok których właśnie przejeżdżaliśmy, zainteresował się: co teraz czuję, znów w domu i na widok miasta, które opuściłem? Odparłem mu: – Nienawiść. – Zamilkł, ale wkrótce zauważył, że niestety rozumie moje uczucia. Nawiasem mówiąc, według niego „w danej sytuacji" nienawiść także ma swoje miejsce i rolę, „jest nawet pożyteczna", i przypuszcza, dodał, że się zgadzamy i on dobrze wie, kogo nienawidzę. Powiedziałem mu: – Wszystkich. – Znów zamilkł, tym razem na dłużej, a potem zaczął na nowo: – Przeszedłeś wiele potworności? – a ja odparłem, że zależy, co uważa za potworność. Na pewno, powiedział na to z trochę zażenowaną miną, musiałem dużo biedować, głodować, i prawdopodobnie mnie także bito, a ja mu powiedziałem: – Oczywiście. – Dlaczego, synu – wykrzyknął i widziałem, że już traci cierpliwość – mówisz na wszystko „oczywiście", i to zawsze wtedy, kiedy coś w ogóle nie jest oczywiste?! – Rzekłem: – W obozie koncentracyjnym jest oczywiste. – Tak, tak – on – tam tak, ale... – i utknął, zawahał się trochę – ale... przecież sam obóz koncentracyjny nie jest oczywisty! – jakby wreszcie znalazł właściwe słowa, i nic mu nie odpowiedziałem, ponieważ z wolna zaczynałem pojmować: o takich czy innych rzeczach nie dyskutuje się z obcymi, nieświadomymi, w pewnym sensie dziećmi, że tak powiem. Zresztą dostrzegłem niezmiennie będący na swoim miejscu i tylko trochę bardziej pusty, bardziej zaniedbany plac: pora wysiadać, i powiedziałem mu o tym. Ale wysiadł ze mną i wskazując nieco dalszą, zacienioną ławkę, która straciła oparcie, zaproponował: - Może usiedli-byśmy na minutkę.

Najpierw miał trochę niepewną minę. W istocie, zauważył, dopiero teraz zaczynają się „naprawdę ujawniać koszmary", i dodał, że „świat stoi na razie bez-rozumnie przed pytaniem: jak, w jaki sposób mogło się to wszystko w ogóle zdarzyć". Nic nie powiedziałem, wtedy odwrócił się do mnie i nagle zapytał: - Nie zechciałbyś, synku, zrelacjonować swoich przeżyć? - Trochę się zdziwiłem i odparłem, że właściwie nie miałbym mu nic szczególnie ciekawego do powie-dzenia. Na to się lekko uśmiechnął i powiedział: - Nie mnie, światu - na co jeszcze bardziej zdziwiony za-pytałem: - Ale o czym? - O piekle obozów - odparł, na co zauważyłem, że o tym to już w ogóle nic nie mógłbym powiedzieć, ponieważ nie znam piekła i nawet nie potrafiłbym go sobie wyobrazić. Ale on oznajmił, że to tylko taka przenośnia: - Czyż nie jako piekło - spytał - wyobrażamy sobie obóz koncentracyj-ny? - a ja mu na to, zakreślając przy tym obcasem kilka kółek w kurzu, że piekło każdy może sobie wyobrażać na swój sposób i jeśli o mnie chodzi, to potrafię sobie wyobrazić tylko obóz koncentracyjny, bo obóz trochę znam, piekła natomiast nie. - Ale, gdyby, powiedzmy, jednak? - upierał się i po kilku nowych kółkach od-parłem: - To wyobrażałbym sobie, że jest to takie miejsce, gdzie nie można się nudzić, w obozie zaś - dodałem - było można, nawet w Oświęcimiu, rzecz jasna w pewnych warunkach. – Trochę milczał, a potem jeszcze zapytał, ale wyczułem, że już jakoś niemal wbrew woli: – Czym to tłumaczysz? – i po krótkim namyśle oznajmiłem: – Czasem. – Dlaczego czasem? – Bo czas pomaga. – Pomaga?... W czym? – We wszystkim – i próbowałem mu wytłumaczyć, jaka to całkiem inna sprawa przyjechać, na przykład, na jeśli nawet nie wspaniałą, to całkiem do przyjęcia, czystą, schludną stację, gdzie powolutku, w porządku chronologicznym, stopniowo zaczyna się nam wszystko klarować. Kiedy mamy za sobą jeden etap, już przychodzi następny. Kiedy się wszystkiego dowiemy, to rozumiemy też wszystko. A kiedy się człowiek wszystkiego dowiaduje, nie pozostaje bezczynny: wykonuje nowe zadanie, żyje, działa, porusza się, spełnia wszystkie nowe wymagania wszystkich nowych etapów. Gdyby natomiast nie było tej chronologii i gdyby cała wiedza runęła nam na głowę od razu tam na stacji, to może nie wytrzymałaby tego ani głowa, ani serce, próbowałem mu jakoś wyjaśnić, na co wyciągnąwszy z kieszeni poszarpaną paczkę, podsunął mi pogniecione papierosy, ale odmówiłem, potem zaciągnął się mocno dwa razy i opierając łokcie na kolanach, pochylony, nawet na mnie nie patrząc, powiedział jakimś trochę matowym, głuchym głosem: – Rozumiem. – Z drugiej strony – ciągnąłem – wadą, powiedziałbym, błędem, jest to, że trzeba wypełnić czas. Widziałem na przykład – powiedziałem mu – więźniów, którzy cztery, sześć, a nawet dwanaście lat byli już, a dokładniej, wciąż jeszcze byli, w obozie. Otóż ci ludzie musieli jakoś wypełnić te cztery, sześć czy dwanaście lat, czyli w ostatnim przypadku dwanaście razy po trzysta sześćdziesiąt pięć dni, to jest dwanaście razy trzysta sześćdziesiąt pięć razy dwadzieścia cztery godziny, dalej: dwanaście razy trzysta sześćdziesiąt pięć razy dwadzieścia cztery razy... i wszystko od nowa, co chwilę, minutę, godzinę, dzień, czyli że muszą cały ten czas jakoś wypełnić. Z drugiej natomiast strony – ciągnąłem dalej – właśnie to mogło im pomóc, bo gdyby ten cały czas, to znaczy dwanaście razy trzysta sześćdziesiąt pięć, razy dwadzieścia cztery razy sześćdziesiąt i znów razy sześćdziesiąt, zleciał im jednocześnie i za jednym zamachem na kark, to na pewno nie byliby tacy, jak są, ani jeśli idzie o głowę, ani o ciało. – A ponieważ milczał, dodałem jeszcze: – A więc tak to mniej więcej trzeba sobie wyobrażać. – A on na to tak samo jak przedtem, tylko zamiast papierosa, którego już tymczasem wyrzucił, tym razem trzymając w obu dłoniach twarz i może przez to jeszcze bardziej głuchym i jeszcze bardziej stłumionym głosem powiedział: – Nie, nie można sobie wyobrazić – i ja ze swojej strony rozumiałem go. Pomyślałem też: zatem, jak widać, dlatego zamiast „obóz" mówią „piekło", na pewno.

Ale potem szybko się wyprostował, spojrzał na zegarek i zmieniła mu się twarz. Poinformował mnie: jest dziennikarzem i to, jak dodał, „w demokratycznym piśmie", i wtedy dopiero zrozumiałem, kogo też z przeszłości przypomina mi takie czy inne jego słowo – wujka Viliego, z taką różnicą, powiedziałbym, nawet wiarygodnością, jaką rozpoznałbym w słowach, a zwłaszcza czynach i rozmiarach uporu rabina, gdybym na przykład porównał go z wujkiem Lajosem. Ta myśl uprzytomniła mi nagle, właściwie po raz pierwszy, prawdopodobieństwo rychłego spotkania i dlatego już tylko jednym uchem słuchałem słów dziennikarza. Pragnąłby, powiedział, aby nasze przypadkowe spotkanie stało się „szczęśliwym trafem". Zaproponował: wymieńmy adresy, zainicjujmy „cykl artykułów". Artykuły pisałby on, ale wyłącznie na podstawie moich słów. W ten sposób dostalibyśmy też jakieś pieniądze, które na pewno przydałyby mi się na początek „nowego życia", aczkolwiek, dodał z zażenowanym uśmiechem, zbyt dużo „nie może zaoferować", albowiem gazeta jest jeszcze nowa i „na razie ma niewielkie możliwości finansowe". Ale w tej chwili, uważał, nie to jest najważniejsze, lecz „zagojenie krwawiących jeszcze ran i ukaranie winnych". Przede wszystkim jednak „trzeba poruszyć opinię publiczną", rozwiać „obojętność, nieczułość, wątpliwości". Komunałami nic się tu nie zdziała, według niego trzeba ujawnić przyczyny, prawdę, nawet gdybyśmy z tego powodu musieli przejść „choćby najboleśniejszą próbę". W moich słowach widzi „dużo oryginalności", ducha epoki, jeśli dobrze zrozumiałem, jakieś „smutne piętno" czasów, które jest „nowym, oryginalnym kolorem w strumieniu materiałów opartych na faktach" – tak powiedział i zapytał mnie o zdanie. Zaznaczyłem, że najpierw muszę załatwić swoją sprawę, ale, jak widać, nie zrozumiał, bo powiedział: – Nie. To już nie jest tylko twoja sprawa. Jest nasza, świata – a ja odparłem: – Tak, ale teraz już pora, bym wrócił do domu – wtedy poprosił mnie „o wybaczenie". Wstaliśmy, ale wyglądał, jakby się wahał, jakby coś jeszcze rozważał. Czy nie moglibyśmy, zapytał, zacząć artykułów od zdjęcia z momentu spotkania? Nic nie odpowiedziałem i wtedy z nikłym półuśmieszkiem zauważył, że dziennikarza „zawód zmusza niekiedy do nietaktów", ale jeśli mi to nie w smak, to on nie chciałby mnie zmuszać. Później usiadł, otworzył na kolanie czarny notatnik i coś szybko napisał, potem wyrwał kartkę i znów wstając, podał mi ją. Jest na niej jego nazwisko i adres redakcji i żegna się ze mną „w nadziei rychłego spotkania", powiedział, potem poczułem przyjazny uścisk ciepłej, mięsistej, trochę spoconej dłoni. Rozmowa z nim wydała mi się przyjemna i relaksująca, a on sam sympatyczny i życzliwy. Zaczekałem, aż jego sylwetka zniknie w tłumie przechodniów, i dopiero wtedy wyrzuciłem kartkę.

Po paru krokach poznałem nasz dom. Był, cały i zupełnie w porządku. W bramie powitał mnie dawny zapach, rozchwierutana winda w okratowanym szybie i wytarte do żółtości stare schody, a wyżej mogłem pozdrowić pamiętny z pewnej intymnej, specyficznej chwili łuk klatki schodowej. Doszedłszy na piętro, zadzwoniłem do naszych drzwi. Wkrótce się też otworzyły, ale tylko na tyle, na ile pozwalało wewnętrzne zabezpieczenie, łańcuch, i nawet się trochę zdziwiłem, bo nie przypominałem sobie nic takiego. Także z uchylonych drzwi spoglądała na mnie obca, żółta i koścista twarz kobiety w mniej więcej średnim wieku. Zapytała, do kogo, a ja jej powiedziałem: – Mieszkam tu. – Nie – odparła – my tu mieszkamy – i już chciała zamknąć drzwi, ale nie mogła, ponieważ wsunąłem nogę. Próbowałem jej wytłumaczyć: nieporozumienie, przecież stąd wyszedłem, więc jest całkiem pewne, że tu mieszkamy, ona zaś zapewniała mnie: to ja się mylę, bo tu z całą pewnością mieszkają oni, miło, uprzejmie i ubolewająco potrząsając głową, starała się przy tym zatrzasnąć drzwi, ja zaś starałem się jej w tym przeszkodzić. Potem w pewnym momencie, kiedy spojrzałem na numer, czy jednak nie pomyliłem drzwi, i pewnie cofnąłem nogę, jej wysiłki okazały się skuteczniejsze i usłyszałem, jak w zatrzaskującym się zamku aż dwukrotnie przekręciła klucz.

W powrotnej drodze na schody zatrzymały mnie znajome drzwi. Zadzwoniłem; wnet ukazała się tęga, rosła kobieta. Ona także miała w znajomy mi już sposób zamknąć drzwi, ale za jej plecami błysnęły okulary i w mroku zamajaczyła szara twarz pana Fleischmanna. Obok niego wyłonił się pokaźny brzuch, kapcie, wielka, ruda głowa, dziecięcy przedziałek i zgasły niedopałek cygara: stary Steiner. Tacy sami, jak ich tu zostawiłem ostatnio, jakby wczoraj wieczorem przed komorą celną. Stali, patrzyli, potem wykrzyknęli moje imię, a stary Steiner nawet mnie objął, tak jak stałem, w czapce, spoconego, w pasiaku. Zaprowadzili mnie do pokoju, a pani Fleischmannowa pospieszyła do kuchni rozejrzeć się za „czymś na ząb", jak powiedziała. Musiałem odpowiadać na zwykłe pytania: skąd, jak, kiedy? Potem ja zacząłem pytać i dowiedziałem się, że w naszym mieszkaniu naprawdę mieszkają już inni. Zainteresowałem się: – A my? – i ponieważ jakoś zwlekali z odpowiedzią, zapytałem: – Co z ojcem? – na co ostatecznie zamilkli. Po krótkiej chwili jakaś ręka, wydaje mi się, że chyba pana Steinera, uniosła się wolno w górę, wyruszyła w drogę, po czym jak stary, ostrożny nietoperz spoczęła na moim ramieniu. Z tego, co potem powiedzieli, zrozumiałem w istocie tyle, że „niestety, nie możemy wątpić w prawdziwość wiadomości o śmierci", ponieważ „opiera się ona na świadectwie byłych kolegów", według których mój ojciec „zmarł po krótkich cierpieniach" w pewnym „niemieckim obozie", który jednak leży na terenie Austrii, no... jakże on się nazywa... no... powiedziałem więc: - Mauthausen. - Mauthausen! - ucieszyli się, ale zaraz znów spochmurnieli: - Tak, jest, jak jest. - Zapytałem jeszcze, czy przypadkiem nie wiedzą czegoś o mojej matce, i zaraz powiedzieli, jasne, i to radosna nowina: żyje, zdrowa, była tu parę miesięcy temu, sami ją widzieli, rozmawiali z nią, wypytywała o mnie. - A macocha? - zaciekawiłem się i dowiedziałem: - Ona to już tymczasem wyszła za mąż. - No - zainteresowałem się - a za kogo? - i znów utknęli przy nazwisku. Jeden z nich powiedział: - Jakiś Kovács, o ile dobrze pamiętam - a drugi: - Nie, nie Kovács, tylko Futó. - Powiedziałem: - Sütő - i teraz też radośnie kiwali głowami, zapewniali: - Zgadza się, jasne, Sütő - tak samo jak przedtem. Ma mu sporo do zawdzięczenia, „właściwie wszystko", potem powiedzieli: to on „uratował majątek", on ją „ukrywał w ciężkich czasach", tak to sformułowali. - Może - zamyślił się pan Fleischmann - nieco się pospieszyła - z tym zgadzał się też pan Steiner. - W końcu jednak - dodał - to zrozumiałe - co natychmiast przyznał drugi starzec.

Potem jeszcze trochę z nimi posiedziałem, ponieważ już bardzo dawno tak nie siedziałem, w miękkim aksamitnym fotelu z obiciem koloru bordo. Zjawiła się tymczasem także pani Fleischmannowa i na białym porcelanowym talerzu z ozdobnym brzegiem przyniosła posmarowany smalcem chleb posypany papryką i przybrany cienkimi krążkami cebuli, bo jak pamiętała, bardzo to dawniej lubiłem, a ja natychmiast udowodniłem jej, że tak jest również obecnie. Dwaj starcy w tym czasie opowiadali: „naprawdę, tu też nie było łatwo". Z całej ich opowieści zostały mi niewyraźne kontury, wrażenie jakiegoś zawiłego, mętnego i niejasnego wydarzenia, którego w istocie nie mogłem ani sobie wyobrazić, ani zrozumieć. Zwróciłem w tej opowiastce uwagę właściwie tylko na bardzo częste, już niemal męczące powtarzanie jednego słowa, którym oznaczali każdy nowy przełom, zmianę, moment. I tak na przykład „przyszedł" dom z gwiazdą*, „przyszedł" piętnasty października**, „przyszli" strzałokrzyżowcy, „przyszło" getto, „przyszedł" brzeg Dunaju***, „przyszło" wyzwolenie. No i zauważyłem też pewien błąd: jakby te wszystkie zacierające się, rzeczywiście niewyobrażalne i w szczegółach już dla nich samych zupełnie niemożliwe do odtworzenia wydarzenia nie toczyły się w normalnym trybie minut, godzin, dni i miesięcy, lecz, że tak powiem, wszystkie naraz, w jednym wielkim zamieszaniu, chaosie, na przykład na takim dziwnym popołudniowym spotkaniu, które nieoczekiwanie przeobraziło się w hulankę, kiedy jego liczni

---

*Chodzi o pozostający pod opieką ambasady Królestwa Szwecji dom dla Żydów, gdzie bezpiecznie mieszkali od marca do października 1944 roku.
**15 października 1944 roku ukazała się tzw. ustawa żydowska.
***Nad Dunajem faszyści rozstrzeliwali Żydów, ciała wrzucano do rzeki.

uczestnicy stracili wszyscy nagle rozum i w końcu przestali wiedzieć, co robią. W pewnej chwili nagle zamilkli, a potem, po chwili ciszy, stary Fleischmann zadał mi pytanie: – A jakie masz plany na przyszłość? – Trochę się zdziwiłem i powiedziałem: – Jeszcze o tym nie myślałem. – Wtedy poruszył się też drugi starzec i pochylił się ku mnie na krześle. Znów wzbił się w górę nietoperz i usiadł tym razem nie na mojej ręce, lecz na kolanie. – Przede wszystkim – powiedział – musisz zapomnieć o koszmarach. – Zapytałem coraz bardziej zdziwiony: – Dlaczego? – Po to – odpowiedział – abyś mógł żyć – a pan Fleischmann pokiwał głową i dodał: – Żyć na wolności – na co drugi starzec pokiwał głową i dodał: – Z takim bagażem nie można rozpoczynać nowego życia – i w tym miał trochę racji, musiałem przyznać. Tyle że nie całkiem rozumiałem, dlaczego żądają ode mnie czegoś, co jest niemożliwe, i nawet zauważyłem, że co się wydarzyło, to się wydarzyło, i że w końcu nie mogę rozkazywać mojej pamięci. Nowe życie, uważałem, mógłbym rozpocząć tylko wtedy, gdybym się na nowo urodził albo gdyby spotkała mnie jakaś krzywda, choroba lub coś w tym rodzaju, czego mi, mam nadzieję, nie życzą. – Zresztą – dodałem – nie zauważyłem koszmarów – i wtedy, widziałem, bardzo się zdziwili. Jak mają to rozumieć, chcieli się dowiedzieć, że „nie zauważyłem"? Wtedy ja ich spytałem: a co oni robili w tych „niełatwych czasach". – Cóż...

Żyliśmy – zadumał się jeden z nich. – Próbowaliśmy przeżyć – dodał drugi. Czyli: oni też zawsze posuwali się o krok, zauważyłem. – Co to znaczy? – nie zrozumieli i wtedy opowiedziałem im, jak to było na przykład w Oświęcimiu. Jeden pociąg to, powiedzmy, mniej więcej trzy tysiące ludzi, choć nie twierdzę, że zawsze i bezwarunkowo, ponieważ tego nie wiem. W tym mężczyzn, powiedzmy, tysiąc. Na badanie liczmy jedną lub dwie sekundy na osobę, częściej jest to jedna niż dwie. Nie patrzmy na pierwszych i ostatnich, bo oni się nie liczą. Ale pośrodku, tam gdzie ja stałem, musimy dać dziesięć, dwadzieścia minut na czekanie, zanim znajdziemy się w tym punkcie, gdzie się decyduje: czy od razu gaz, czy jeszcze jedna szansa? A tymczasem szereg wciąż się porusza, postępuje do przodu, i każdy posuwa się o jeden krok, mniejszy czy większy, zgodnie z prędkością działania tamtych.

Wtedy nastała krótka cisza, którą naruszył tylko jeden brzęk: pani Fleischmannowa wzięła ze stołu i wyniosła pusty talerz i potem już jej więcej nie widziałem. A dwaj starcy zapytali, „skąd mi to przyszło na myśl i co chcę przez to powiedzieć". Odparłem, że nic szczególnego, ale nie wszystko jednak zwyczajnie „przyszło" – szliśmy my. Tylko teraz wszystko wydaje się gotowe, skończone, niepowtarzalne, ostateczne, straszliwie szybkie i przeraźliwie mroczne, tak jak „przyszło"; teraz, kiedy patrzymy wstecz, kiedy się oglądamy za siebie. No i oczywiście, jeśli z góry znamy los. Wtedy musimy tylko ewidencjonować mijanie czasu. Na przykład głupi pocałunek to taka sama konieczność jak, powiedzmy, spędzony w bezruchu dzień w komorze celnej czy komory gazowe. Tyle że czy patrzymy za siebie, czy przed siebie, oba poglądy są błędne. W końcu niekiedy dwadzieścia minut to też może być bardzo dużo. Każda minuta zaczęła się, trwała, potem się skończyła, zanim zaczęła się następna. – A więc – powiedziałem – rozważmy to: każda taka minuta mogła właściwie przynieść coś nowego. Oczywiście nie przyniosła, ale jednak trzeba przyznać: mogłaby przynieść, w rezultacie w każdej z nich mogło się stać co innego, niż się naprawdę stało, tak samo w Oświęcimiu jak, załóżmy, w domu, kiedy żegnaliśmy mojego ojca.

Na te ostatnie słowa stary Steiner poruszył się. – Ale co mogliśmy zrobić? – zapytał z na wpół gniewną, na wpół zmartwioną miną. Powiedziałem: – Nic, oczywiście, albo – dodałem – cokolwiek, co byłoby równie niedorzeczne jak to, że nic nie zrobiliśmy, oczywiście – znów i wciąż tylko oczywiście. – Ale nie w tym rzecz – próbowałem im wytłumaczyć. – A więc w czym? – zapytali, tracąc już prawie cierpliwość, a ja odparłem, czując się coraz bardziej wściekły: – W krokach. – Kroczył każdy, kto tylko mógł kroczyć; ja też zrobiłem swoje kroki i nie tylko w kolejce do lekarza, ale już w domu. Kroczyłem z ojcem i kroczyłem z matką, kroczyłem z Annąmarią i kroczyłem, to było chyba najtrudniejsze, ze starszą z sióstr. Teraz już mógłbym jej powiedzieć, co to znaczy „Żyd": nic nie znaczy, przynajmniej dla mnie, dopóki nie zaczną się kroki. Nic nie jest prawdą, nie ma innej krwi, nie ma nic innego, tylko... utknąłem, ale nagle przypomniałem sobie słowa dziennikarza: są tylko dane sytuacje i istniejące w nich nowe warunki. Ja też przeżyłem dany los. To nie był mój los, ale ja go przeżyłem – i w żaden sposób nie mogłem zrozumieć, że to im się nie mieści w głowach: teraz już powinienem coś z nim zrobić, gdzieś go dopasować czy wpasować, w końcu teraz już nie mogę się zadowolić tym, że to była pomyłka, ślepy przypadek, pośliźnięcie lub że może w ogóle się to nie wydarzyło. Widziałem, bardzo dobrze widziałem, że niezbyt rozumieją, że nie bardzo im w smak moje słowa, a nawet jakby ich jedno czy drugie po prostu drażniło. Widziałem, że pan Steiner chętnie by się tu i tam wtrącił, gdzie indziej zerwałby się, widziałem, że drugi starzec go powstrzymuje, i słyszałem, jak mu powiedział: – Niech mu pan da spokój, nie widzi pan, że on po prostu chce mówić? Więc niech sobie mówi – i mówiłem, możliwe, że na próżno i trochę bezładnie. Ale i tak im wyjaśniłem: nigdy nie możemy rozpocząć nowego życia, zawsze musimy tylko ciągnąć stare. Ja kroczyłem, a nie kto inny, i oświadczam, że w danym mi losie do końca byłem uczciwy. Jedyna plama, powiedziałbym, skaza, jedno, co ewentualnie można by mi zarzucić, to jest to, że teraz tu rozmawiamy, ale na to nie poradzę. Życzą sobie, żeby ta cała uczciwość i wszystkie moje poprzednie kroki straciły sens? Po co ta nagła zmiana poglądów, po co ten sprzeciw, dlaczego nie chcą zrozumieć: kiedy jest los, to nie ma wolności. – Jeśli zaś – ciągnąłem, sam coraz bardziej zaskoczony, coraz bardziej rozgrzany – jeśli zaś jest wolność, nie ma losu, to znaczy – zatrzymałem się, ale tylko na moment – to znaczy, wówczas my sami jesteśmy losem – pojąłem nagle, ale tak jasno w owej chwili, jak jeszcze nigdy dotąd. Trochę też żałowałem, że mam tylko ich, a nie mądrzejszych, że tak powiem, godniejszych przeciwników. Ale teraz byli tu oni, oni są, w tym momencie tak mi się przynajmniej wydawało, wszędzie, w każdym razie byli również wtedy, kiedy żegnaliśmy mojego ojca. Oni też postawili swoje kroki. Oni też z góry wiedzieli, oni też z góry widzieli wszystko, oni też pożegnali mojego ojca tak, jakbyśmy go już chowali, a i później poróżnili się tylko o to, czy mam jechać do Oświęcimia podmiejską kolejką, czy raczej autobusem... Tu już zerwał się nie tylko pan Steiner, ale także stary Fleischmann. Teraz też próbował powstrzymać tego drugiego, lecz już nie zdołał. – Co takiego?! – ryknął na mnie z czerwoną jak papryka twarzą, waląc się pięściami w pierś. – A może to my jesteśmy przestępcami, my, ofiary?! – Próbowałem mu wyjaśnić:

to nie przestępstwo, tylko trzeba zrozumieć, skromnie, zwyczajnie, dla przyzwoitości, że tak powiem. Nie można, niech to spróbują zrozumieć, nie można mi wszystkiego odebrać, nie może tak być, abym nie był ani zwycięzcą, ani przegranym, żebym nie mógł mieć racji i żebym nie mógł się mylić, żebym nie był ani przyczyną, ani skutkiem niczego, zwyczajnie. - Niech spróbują zrozumieć - już niemal błagałem - nie mogę przełknąć tej goryczy, że jestem po prostu niewinny. - Widziałem jednak: niczego nie chcą zrozumieć, a więc wziąwszy mój worek i czapkę, wyszedłem po paru niejasnych słowach, ruchach, jakichś niedokończonych gestach i pośrodku zawieszonego w próżni zdania.

Na dole powitała mnie ulica. Do matki trzeba jechać tramwajem. Ale teraz już przyszło mi na myśl: przecież nie mam pieniędzy, postanowiłem więc, że pójdę piechotą. Żeby zebrać siły, przystanąłem na minutkę na placu, przy tamtej ławce. Przede mną, tam gdzie zaraz pójdę i gdzie ulica zdaje się wydłużać, rozszerzać i ginąć w nieskończoności, nad niebieszczącymi się wzgórzami obłoki były już fioletowe, a niebo miało barwę purpury. Wokół mnie też jakby się coś zmieniło: zmalał ruch, spowolniały ludzkie kroki, ścichły głosy, złagodniały oczy, a twarze jakby zwróciły się ku sobie. To była ta szczególna godzina - nawet teraz, nawet tu - najmilsza godzina w obozie, i ogarnęło mnie jakieś ostre, bolesne uczucie daremności: tęsknota za nią. Nagle wszystko się ożywiło, wszystko tu było i spiętrzyło się we mnie, zaskakiwały mnie osobliwe nastroje, przeszywały dreszczem krótkie wspomnienia. Tak, w pewnym sensie bardziej czyste i prostsze było tam życie. Wszystko przyszło mi na myśl i myślałem o wszystkich, także o tych, którzy mnie nie obchodzili, i o tych, dzięki którym mogłem tu teraz być: o Bandim Citromie, Pietce, Bohuszu, lekarzu i tylu innych. I po raz pierwszy pomyślałem o nich z odrobiną wyrzutu, z jakimś serdecznym gniewem.

No, ale nie przesadzajmy, przecież to właśnie puenta: jestem tu i dobrze wiem, że przyjmę każdy argument za to, że mogę żyć. Tak, kiedy rozejrzałem się po tym placu o zmierzchu, po tej zniszczonej, a jednak pełnej obietnic ulicy, czułem, jak zbiera się we mnie, narasta gotowość: będę ciągnął moje życie, które nie nadaje się do tego, by ciągnąć je dalej. Czeka na mnie matka i na pewno bardzo się mną ucieszy, biedaczka. Pamiętam, że kiedyś chciała, bym został inżynierem, lekarzem czy kimś w tym rodzaju. I tak będzie, z całą pewnością, tak jak sobie tego życzy; nie ma takiego absurdu, którego nie moglibyśmy w sposób naturalny przeżyć, a na mojej drodze, już teraz to wiem, czeka na mnie, niby jakaś nieunikniona pułapka, szczęście. Przecież nawet tam, przy kominach, w przerwach między udrękami, też było coś na kształt szczęścia. Każdy pyta tylko o rzeczy trudne, o „koszmary": choć mnie chyba to przeżycie pozostanie najbardziej w pamięci. Tak, przy najbliższej okazji, kiedy mnie znów zapytają, muszę im opowiedzieć o szczęściu obozów koncentracyjnych.

Jeśli zapytają. I jeśli sam nie zapomnę.

Książki oraz bezpłatny katalog
Wydawnictwa W.A.B.
można zamówić pod adresem:
ul. Łowicka 31, 02-502 Warszawa
fax (22) 646 01 74, 646 01 75, 646 05 10, 646 05 11
wab@wab.com.pl
www.wab.com.pl

Redakcja: Magdalena Petryńska
Korekta: Anna Rudnicka, Maria Kaniewska, Maciej Korbasiński
Redakcja techniczna: Urszula Ziętek

Projekt graficzny serii: Zuzanna Lewandowska
Fotografia na I stronie okładki: Esther Kinsky

Wydawnictwo W.A.B.
ul. Łowicka 31, 02-502 Warszawa
tel. (22) 646 05 10, 646 05 11, 646 01 74, 646 01 75
wab@wab.com.pl
www.wab.com.pl

Skład: Komputerowe Usługi Poligraficzne
Piaseczno, ul. Żółkiewskiego 7
Druk i oprawa: Drukarnia Wydawnicza
im. W. L. Anczyca S.A., Kraków

ISBN 83-88221-68-X
ISBN 8389291-61-4 twarda oprawa